STRUMENTI MUSICALI

MUSICAL INSTRUMENTS

Guida alle collezioni medicee e lorenesi
Guide to the Medici and Lorraine Collections

a cura di / edited by
Gabriele Rossi Rognoni

Anton Domenico Gabbiani,
*Trio di musici del Granprincipe
Ferdinando con servitore negro,*
1687 (?), particolare.
Firenze, Galleria Palatina
(in deposito temporaneo presso
la Galleria dell'Accademia).

Anton Domenico Gabbiani,
*Trio of musicians of Grand Prince
Ferdinando with negro servant,*
1687 (?), detail. Florence,
Galleria Palatina (on temporary loan
to the Galleria dell'Accademia).

Testi di
Texts of
Franca Falletti
Gabriele Rossi Rognoni

Traduzioni
Translations
dall'italiano/*from Italian*
Susan Charlton
Chiara Marcotulli

Aggiornamento
Revision
Catherine Frost

Responsabile editoriale
Managing Editor
Claudio Pescio

Editors
Ilaria Ferraris
Augusta Tosone

**Progetto grafico
e impaginazione**
Graphics and paging
Fabio Filippi

Copertina
Cover
Paola Zacchini

Ricerca iconografica
Iconographic research
Cristina Reggioli

Referenze fotografiche
Photography
Archivio Giunti / Foto
Rabatti&Domingie, Firenze;
Gabinetto Fotografico
della Soprintendenza Speciale
per il PSAE e PMcF

www.giunti.it

© 2001, 2009 Ministero dei Beni e delle Attività culturali e del Turismo-
Ex Soprintendenza Speciale per il Patrimonio Storico,
Artistico ed Etnoantropologico e per il Polo Museale della città di Firenze

© 2001, 2009 Giunti Editore S.p.A.
Via Bolognese 165 - 50139 Firenze - Italia
Piazza Virgilio 4 - 20123 Milano - Italia

Prima edizione con il titolo *La musica alla corte dei Granduchi*: maggio 2001
Nuova edizione riveduta e aggiornata: luglio 2009

Ristampa	Anno
6 5 4 3 2	2018 2017 2016 2015

Stampato presso Giunti Industrie Grafiche S.p.A. - Stabilimento di Prato

SOMMARIO

INDEX

Alle pagine 10-11:
Anton Domenico Gabbiani,
Trio di musici del Granprincipe
Ferdinando con servitore negro,
1687 (?), particolare.
Firenze, Galleria Palatina
(in deposito temporaneo presso
la Galleria dell'Accademia).

On the pages 10-11:
Anton Domenico Gabbiani,
Trio of musicians of Grand Prince
Ferdinandowith negro servant,
1687 (?), detail.
Florence, Galleria Palatina
(on temporary loan to the
Galleria dell'Accademia).

Presentazione

Con questo catalogo completo degli strumenti e delle opere d'arte del Dipartimento degli Strumenti Musicali presso la Galleria dell'Accademia, prende piena consistenza scientifica e adeguata visibilità un patrimonio culturale che ha tutti i caratteri dell'eccezionalità. Ancora una volta, l'ampiezza degli interessi e l'eccellenza perseguita dalle dinastie dei Medici e dei Lorena in ogni campo del collezionismo si rivelano alla base dell'offerta culturale fiorentina così vasta e diversificata: come si trovano capolavori tra gli strumenti musicali, così sono eccezionali le testimonianze iconografiche sei-settecentesche, che dimostrano il primato assegnato alla musica – e alle professionalità di liutai, musicisti, cantori – alla corte fiorentina, culla, fin dal tardo XVI secolo, di "moderni" modelli musicali tra i quali il melodramma. A tredici anni dal primo accordo tra il Conservatorio di Musica "Luigi Cherubini" e la Soprintendenza d'allora – che mi trovai a sottoscrivere in qualità di reggente il 15 maggio 2006, essendo Antonio Paolucci ministro dei Beni Culturali e Ambientali del governo Dini –, i frutti di questa intesa si sono moltiplicati e arricchiti, grazie alle instancabili attività nei rispettivi campi

Presentation

With this complete catalogue of the instruments and works of art belonging to the Department of Musical Instruments at the Galleria dell'Accademia, a cultural heritage bearing all the marks of the exceptional acquires full scientific consistency and fitting visibility. Once again, the broad interests and high standards pursued by the Medici and Lorraine dynasties in every field of collecting are shown to form the basis of the Florentine cultural offer, so vast and diversified. As exceptional as the masterpieces among the musical instruments is the 17th-18th century iconographic testimony, clearly evincing the major role assigned to music – and to the professional expertise of musicians and singers – at the Florentine court, which had been the cradle of "modern" musical forms, including the opera, since the late 16th century.

Cristoforo Munari, *Natura morta*,
1707-1713 circa, particolare. Firenze, Galleria Palatina
(in deposito temporaneo presso la Galleria dell'Accademia).

Cristoforo Munari, *Still life*,
c. 1707-1713, detail. Florence, Galleria Palatina
(on temporary loan to the Galleria dell'Accademia).

CRISTINA ACIDINI - PRESENTATION

Thirteen years after the first agreement between the Conservatorio di Musica "Luigi Cherubini" and the Soprintendenza of the time – signed by myself as Deputy Director on May 15, 2006, while Antonio Paolucci was acting as Minister of Cultural Affairs for the Dini government – the fruits of this accord have flourished, thanks to the tireless activity of Franca Falletti and Gabriele Rossi Rognoni in their respective fields and their ability to attract partners, collaborators and financing for research and promotional initiatives of benefit to the Department. With the intense scientific and exhibiting activity of the sector dedicated to music, the Galleria dell'Accademia has enriched and diversified its offer to the public. Although the *David*, certainly, and Michelangelo's *Slaves* remain sovereign attractions, the other collections range from the paintings of the 'Primitives' to great 16th-century altarpieces and canvases, from Russian icons to the plaster casts of Bartolini, in a broad array of artistic expressions and time sequences to which the Department of Music brings even greater variety and the highest quality levels.

Some time ago I expressed the hope that the Department would meet with 'new success, in the certainty that the protection and promotion of this heritage will not be limited to ensuring the physical survival of wood, metal and various organic materials, but will restore to life and keep fresh before us the intangible wealth of a prestigious culture'. My hope has now become a reality, thanks to the commitment of many experts and of Giunti Editore, in a repertory of great utility and beauty, where the musical instruments have received the added value of a specific iconography – still lifes, individual and group portraits, genre scenes –

di Franca Falletti e Gabriele Rossi Rognoni, e alla loro capacità di attrarre partner, collaboratori, finanziamenti e iniziative di ricerca e valorizzazione a vantaggio del Dipartimento. Con l'intensa vita scientifica e museale del settore dedicato alla musica, la Galleria dell'Accademia ha accresciuto e diversificato anche l'offerta al pubblico: il *David*, certo, e i *Prigioni* di Michelangelo restano elementi di attrazione sovrani, e tuttavia le altre collezioni spaziano dai quadri dei "Primitivi" alle grandi pale e tele del Cinquecento, dalle icone russe ai gessi del Bartolini, in un ampio raggio di espressioni artistiche e di sequenza cronologiche nel quale la presenza del Dipartimento musicale introduce ulteriore varietà ad altissimi livelli qualitativi.

Avevo scritto qualche tempo fa che auguravo al Dipartimento «nuovi successi, nella certezza che, tutelando e promuovendo questo patrimonio, non ci si limita ad assicurare la sopravvivenza fisica di legni, metalli e materiali organici vari, ma si fa vivere e si mantiene in circolazione la ricchezza immateriale d'una cultura prestigiosa». Il mio augurio si è concretizzato, grazie all'impegno di tanti esperti e dell'editore Giunti, in un repertorio di grande utilità e bellezza, in cui agli strumenti musicali è conferito il valore aggiunto di una iconografia specifica – nature morte, ritratti singoli e di gruppo, scene di genere – che evoca il periodo d'oro del loro uso nell'intrattenimento a corte e nelle dimore aristocratiche. Attraverso tante testimonianze, ci viene incontro dal passato preunitario la figura del musicista, artista e professionista al tempo stesso, e ne viene esaltata la dignità e l'importanza non solo di virtuoso nel sistema delle arti, ma anche di cardine delle "politiche" mecenatistiche delle corti, in una visione europea della cultura che ha preceduto di secoli i trattati novecenteschi.

Cristina Acidini

Soprintendente per il Patrimonio Storico,
Artistico ed Etnoantropologico
e per il Polo Museale della città di Firenze

that evokes the golden age of their use in entertainment at court and in the homes of the nobility. Such abundant testimony vividly restores to us from the pre-Unification past the figure of the musician, both artist and professional, enhancing his dignity and importance not only as virtuoso in the arts system but also as cornerstone of the 'art-patronage policy' of the courts, in a European vision of culture emerging centuries before the twentieth-century agreements.

Cristina Acidini

The Superintendent of the Patrimonio Storico,
Artistico ed Etnoantropologico
and the Polo Museale della città di Firenze

Cristoforo Munari, *Natura morta*,
1707-1713 circa, particolare. Firenze,
Galleria degli Uffizi, Corridoio Vasariano.

Cristoforo Munari, *Still life*,
c. 1707-1713, detail. Florence,
Galleria degli Uffizi, Corridoio Vasariano.

Un museo da vedere e da ascoltare

Franca Falletti

Il Dipartimento degli Strumenti Musicali riunisce oggetti provenienti dalla ottocentesca Accademia di Belle Arti, istituto di origine della nostra Galleria dell'Accademia. Il recupero di un'unità storica e culturale perduta, quindi. La collezione degli strumenti musicali è infatti quella del Conservatorio statale di musica di Firenze, un tempo "seconda classe" di insegnamento dell'Accademia di Belle Arti, mentre il laboratorio di acustica, dove si illustrano le principali leggi del suono in relazione agli strumenti musicali, è in gran parte realizzato con pezzi della Fondazione Scienza e Tecnica, oggi erede del patrimonio scientifico della ex "terza classe" di insegnamento, quella così detta delle Arti e Mestieri. Affidata il 15 maggio 1996 in comodato alla Galleria dell'Accademia, la collezione del Conservatorio è stata in questi anni oggetto di un'accurata campagna fotografica generale, seguita dalla catalogazione e dallo studio scientifico approfondito dei pezzi granducali, oggetto della presente esposizione[1].

Oggetto principale, ma non unico: meglio sarebbe dire fulcro dal quale partono altri sguardi puntati a indagare nella storia e nella cronaca di un'epoca tradizionalmente considerata il lungo tramonto di Firenze. Questo perché non sono stati mai per noi dei semplici oggetti da vedere, ma da considera-

A museum to look at and listen to

Franca Falletti

The Department of Musical Instruments contains objects from the 19th century Accademia di Belle Arti (Fine Arts Academy), the institute at the origin of our Galleria dell'Accademia (Academy Gallery). The recovery of a lost historical and cultural unity, therefore. The collection of musical instruments is, in fact, that of the Music Conservatory of Florence, once the "second class of teaching" of the Accademia di Belle Arti, while the laboratory of acoustics, where the main laws of sound are illustrated in relation to the musical instruments, is mostly made up of pieces from the Fondazione Scienza e Tecnica (Science and Technical Foundation), which is nowadays the heir of the scientific heritage of the ex-"third class of teaching", the so-called class of Craft and Trades. Loaned free since May 15th 1996 to the Galleria dell'Accademia, the Conservatory collection has in the last few years been the object of a thorough general photographic campaign, followed by the cataloguing and detailed

Marco Ricci, *Riunione musicale*, 1705-1707, particolare. Firenze, Galleria dell'Accademia.

Marco Ricci, *Musical gathering*, 1705-1707, detail. Florence, Galleria dell'Accademia.

re inscindibilmente collegati alla loro funzionalità, cioè alla musica che grazie a loro si produce. In questo senso soltanto acquista giusto valore e adeguato interesse, anche di pubblico, un'esposizione di strumenti musicali, quando cioè da loro si parte e a loro si arriva per conoscere le leggi del suono presenti nella natura di cui facciamo parte, i principi dell'armonia del cosmo e del microcosmo celato in noi, per vedere i meccanismi sonori nascosti dentro i loro corpi, per distinguerne i materiali, per sapere da chi venivano suonati, in quali occasioni, se erano accompagnati dal suono della voce o dal passo della danza, se suonavano insieme ad altri o da soli.

Gli strumenti fanno la musica e la musica fa la vita. La vita della corte medicea prima e di quella lorenese poi, la vita della città di Firenze, nelle sue vie, nelle piazze, nei giardini, nei palazzi, nelle chiese, nei teatri. Se inteso così questo settore tanto specifico da avere anche un nome non a tutti comprensibile (organologia, che istintivamente si può pensare sia lo studio degli organi, mentre in realtà significa lo studio degli strumenti musicali in genere) diventa scienza vera e propria e, nel riconoscere la sua appartenenza alla storia delle arti, riesce finalmente anche a definire e a imporre le proprie particolarissime peculiarità. Si eviteranno equivoci fondamentali come quello di esporre gli strumenti musicali senza abbinare a essi il suono, che sarebbe un po' come far vedere un dipinto senza i colori o solo dal retro! Si eviterà inoltre l'altro errore comune di tener separate due discipline assolutamente affini, la storia delle arti figurative e quella delle arti musicali, e nello stesso tempo di far prevalere tanto l'una rispetto all'altra, che, se il pubblico di massa negli ultimi decenni ha educato un poco l'occhio, ha ignorato veramente troppo l'orecchio. Ne consegue, fra l'altro, che si è abituato a giudicare con la vista anche ciò che è di pertinenza dell'altro senso e quindi fatica spesso a comprendere, per esempio, che un clavicembalo, sotto un certo profilo, è più affine a una chitarra che a un pianoforte.

scientific study of the grand-ducal pieces which are the object of this exhibition[1]. It is the main but not the only object. It would be better to say that it is the fulcrum from which other viewpoints depart on an investigation into the history and chronicles of an epoch which is traditionally considered to constitute the long decline of Florence. This is because for us they have never been simple objects to look at, but are necessarily to be considered as linked to their function, i.e. to the music which is produced due to them. Only in this sense does an exhibition of musical instruments acquire the right value and adequate interest also for the public. That is when we start and end with them to better understand the laws of sound present in the nature of which we are part; of the principles of the harmony of the cosmos and microcosmos hidden within us; to see the mechanisms of sound hidden within their bodies; to distinguish their materials; to know who they were played by and on what occasions; if they were accompanied by the sound of the voice or by dance steps; if they played with others or alone. Instruments make music and music makes life. The life of, first, the Medici court and then the Lorraine court, the life of the town of Florence in its streets, squares, gardens, palazzi, in its churches and in its theatres. If it is understood in this way, this sector, which is so specific as to have a name, which not everyone rightly understands ("organology", which instinctively one may think is the study of organs, while in fact it means the study of musical instruments in general), becomes a true science and, if we acknowledge its place in the history of the arts, finally succeeds in defining and imposing its very particular features. Thus we can avoid fundamental misinterpretations such as that of exhibiting musical instruments without matching the sound to them, which would be similar to showing a painting without its colours or only the back! Thus we will also avoid the common mistake of keeping separate two totally connected disciplines, the history of the figurative arts and that of the musical arts, and at the same time of making one prevail over the other: if the masses in

Dobbiamo riconoscere per fortuna che quanto sto dicendo rispecchia un atteggiamento ormai diffuso fra tutti coloro che si occupano di strumenti musicali e che pertanto un'ampia strada comune è aperta in questa direzione. Non resta ora che percorrerla.

Il primo e più importante nucleo di strumenti in mostra appartenne al granprincipe Ferdinando dei Medici[2], figlio primogenito del granduca Cosimo III e di Marguerite Louise d'Orleans, strano connubio fra un tristo bigotto dominato dalla petrigna figura della madre Vittoria della Rovere e una capricciosa francese che, incurante di ogni ragion di stato e della decenza, se ne fuggì da Firenze abbandonando anche il figlio dodicenne[3] pur di riconquistare qualche boccata di aria libera. Da allora la vita di Ferdinando sempre più fu un penoso braccio di ferro con il padre e con la nera ombra della nonna per ritagliarsi uno spazio che non fu politico (Cosimo visse dieci anni più a lungo del figlio, che, quindi, non divenne mai granduca), quanto personale, umano e culturale. Barattando un viaggio a Venezia con un matrimonio non voluto[4], una fuga nella villa prediletta con un Natale in famiglia, godendosi nel più profano dei modi i dipinti di una chiesa mentre faceva finta di seguire una imposta visita di preghiera. Fra le non poche e non sempre innocue passioni di Ferdinando la villa di Pratolino, la pittura bolognese e veneta, la musica possono tutte e tre alludere ad aspetti della personalità stessa del granprincipe: certo a lui si confacevano la fugacità della musica, la fusione di luci e ombre della pittura del nord Italia, il gioco effimero dell'ambivalenza e dell'illusione a Pratolino[5]. Grande estimatore del Crespi e di Sebastiano Ricci, cui fece decorare le sale del suo appartamento estivo al piano terra di palazzo Pitti, in campo musicale il suo nome è particolarmente legato a quello di Bartolomeo Cristofori che proprio a Firenze, in stretto contatto con il granprincipe, inventò un nuovo strumento a tastiera destinato a sconvolgere il mondo della musica: il pianoforte.

E come non pensare che il «gravecembalo col piano e forte», con il suo suo-

the last few decades have to some extent trained the eye, they have too much ignored the ear. A consequence of this is that we are used to also judging with our sight that which pertains to the other sense, and hence we have difficulty in understanding for example that a harpsichord is from a certain point of view closer to a guitar than to a piano.

We must fortunately acknowledge that what I am saying reflects a widespread tendency among all those who have dealings with musical instruments and hence a wide common path is open in this direction. We need now only to follow it.

The first most important group of instruments on exhibition belonged to Grand Prince Ferdinando de' Medici[2], the eldest son of Grand Duke Cosimo III and Marguerite Louise d'Orleans, a strange marriage between a sad bigot dominated by the stony figure of his mother Vittoria della Rovere, and a capricious Frenchwoman. The latter, careless of any reason of state or decency, ran away from Florence abandoning her 12-year-old son[3] in order to regain a breath of free air. From then onwards Ferdinando's life was more and more of a wrestle with his father and the black shade of his grandmother to gain a space which was not political (Cosimo lived ten years longer than the son, who thus never became Grand Duke), so much personal, human and cultural. Bartering a journey to Venice with an unwanted marriage[4], a flight to the beloved villa for a family Christmas, enjoying in the most profane way the paintings of a church while pretending to follow an imposed prayer session. The villa of Pratolino, Bolognese and Venetian painting, and music, are three of the many, not always harmless, passions of Ferdinando which allude to aspects of his personality: the transitory nature of music, the fusion of light and shade in the painting of northern Italy, and the fleeting play of ambivalence and illusion at Pratolino all fitted his nature[5]. He was a great admirer of Crespi and Sebastiano Ricci whom he chose for the decoration of his summer apartment on the ground floor of the palazzo Pitti. In the musical field his name is particularly linked to that of Bartolomeo Cristofori who, in

Justus Utens, *Veduta della villa medicea di Pratolino*, 1599.
Firenze, Museo di Firenze com'era.

Justus Utens, *View of the Medici villa of Pratolino*, 1599.
Florence, Museo di Firenze com'era.

Sebastiano Ricci,
Venere e Adone,
1704-1707, particolare.
Firenze, Palazzo Pitti.

Sebastiano Ricci,
Venus and Adonis,
1704-1707, detail.
Florence, Palazzo Pitti.

no incredibilmente morbido e fuso rispetto al sillabare cristallino del cembalo, in qualche modo non appartenesse allo stesso mondo da cui sortivano le ombre dense del Crespi[6] o le luminosità sfrangiate del Ricci[7]. Del resto che Ferdinando, ottimo suonatore di cembalo e di violino, vivesse a stretto contatto con i suoi artisti lo suggeriscono le moltissime lettere scambiate con alcuni di loro in tono di aperta stima umana, e lo testimonia il superbo gruppo di ritratti di musici che, commissionato ad Anton Domenico Gabbiani nel 1685 e nel 1687 per ornare le festose sale di Pratolino, ora è qui esposto. L'identificazione dei personaggi dipinti in queste quattro opere proposta nel 1990 da John Walter Hill[8] è un'ipotesi bisognosa di ulteriori approfondimenti, in quanto per lo più basata sulla coincidenza fra l'età dei musici o dei cantanti citati dai documenti e quella delle persone rappresentate, senza altri tipi di confronti iconografici, fatta eccezione per Alessandro Scarlatti[9], la terza figura da destra nel grande dipinto collocato in entrata alla mostra, e per il protagonista della medesima scena, il granprincipe in persona, in piedi in primo piano (si veda la scheda 5). Resta comunque innegabile il valore di documentazione storica di queste pitture, non disgiunto dal loro fascino come immagini evocatrici di ambienti e di sottili trame di rapporti umani. Il clima di confidenza e di complice intesa nel comune amore per la musica e per i raffinati piaceri cui essa apre la via serpeggia tra gli sguardi, ora intensi e mobili, ora sperduti e languidi dei musici, le mani leggere appoggiate sugli strumenti muti, ironica, quasi beffarda risposta di Ferdinando alle reiterate raccomandazioni di Cosimo «che desiderava […] che con quei musici trattasse non con tanta familiarità, ma da Principe par suo»[10].

Alla musica si fa ripetutamente richiamo anche nelle tele di Cristoforo Munari, altro artista prediletto da Ferdinando, che lo tenne alla sua corte a partire dal 1707, facendogli dipingere una serie di nature morte, di cui non poche con strumenti musicali, sulla

close contact with the Grand Prince invented a new keyboard instrument in Florence which was destined to stun the world of music: the pianoforte. How could we imagine the «gravecembalo col piano e forte» with its incredibly soft and muted sound as compared to the crystalline scansion of the harpsichord did not in someway belong to the same world from which the dense shadows of Crespi[6] or the frayed luminosity of Ricci[7] emerged?

That Ferdinando, an excellent harpsichord and violin player, lived in close contact with his artists is in fact suggested by the numerous letters he exchanged with some of them in a tone of open esteem; the superb group of portraits of musicians which were commissioned from Antonio Domenico Gabbiani in 1685 and 1687 to decorate the festive rooms of Pratolino and which are exhibited here, also bears witness to this. The identification of the personages portrayed in these four paintings, that was proposed in 1990 by John Walter Hill[8] is a hypothesis which requires further study in that it is mostly based on the coincidence of the age of the musicians or singers cited by the documents and that of the people represented, without any other type of iconographic comparison, except in the case of Alessandro Scarlatti[9], the third figure from the right in the large painting placed at the entrance to the exhibition, and of the protagonist of the same scene, the Grand Prince is standing in the foreground (see sheet no. 5).

The value of the historical documentation of these paintings remains undeniable and is not unconnected to their fascination as images evoking ambiances and subtle networks of human relationships. The climate of intimacy and conspiratorial understanding in a common love of music, and of the refined pleasures to which music opens the way, flits across the expressions of the musicians, now intense and mobile, lost and languid. Their light hands resting on the silent instruments, the ironic, almost mocking response of Ferdinando to the reiterated recommendations of Cosimo «who desired […] that he did not deal with those musicians with

A destra:
Giuseppe Maria Crespi,
La canterina corteggiata,
1735-1740.
Firenze,
Galleria degli Uffizi.

Qui sotto:
Wilhelm Berczy,
*Pietro Leopoldo
di Lorena
e la sua famiglia,*
1781.
Firenze,
Museo degli Argenti.

Right:
Giuseppe Maria Crespi,
The courted song-bird,
1735-1740.
Florence,
Galleria degli Uffizi.

Below:
Wilhelm Berczy,
*Pietro Leopoldo
of Lorraine
and his family,* 1781.
Florence,
Museo degli Argenti.

scia del più famoso Evaristo Baschenis; una scelta di queste opere, raccolte un tempo nelle ville di Pratolino, di Poggio a Caiano e di Artimino, sono ora esposte in mostra a far vanto di lucide casse di liuti e torniti corpi di flauti, ma anche a ricordarci che la vita è effimera, come la musica, e, come per la musica, prima e dopo c'è solo il silenzio.

Morto Ferdinando nel 1713, morto il padre Cosimo III nel 1723, morto il fratello Giangastone nel 1739, la stirpe dei Medici si estinse nel 1743 con la morte dell'ultima erede, Anna Maria Elettrice Palatina. Sir Horace Mann il 18 febbraio commenta l'evento con queste parole: «Tutta la nostra allegria è finita, il carnevale è rovinato, e bisogna rinunciare a tutti i progetti di mascherate: l'Elettrice è morta un'ora fa [...] È voce popolare che se ne è andata in una bufera di vento»[11]. Così, in mezzo al fragore degli elementi, come degnamente si confà a una regale sortita di scena e in mezzo al rammarico per il carnevale guastato, come assai meno degnamente si confà a un casa-

to che per secoli era stato faro della cultura per il mondo intero, Firenze e il Granducato di Toscana passarono a Francesco Stefano della casa austriaca dei Lorena.

L'interesse dei Lorena per la musica e per le arti in genere mostra un profilo e un contenuto ben diverso da quello dei loro predecessori: comprensibilmente più impegnati a far quadrare i conti quotidiani che a progettare magnificenze, più costretti a tener buoni i fiorentini con capillari riforme e con atteggiamenti liberistici che a dilettarsi in villa, i nuovi granduchi appaiono in movimentati ritratti di famiglia in mezzo ai loro figli uno più brutto dell'altro, ma tanti e tanti da scacciare ogni timore che la casa regnante potesse di nuovo estinguersi. Gli spettacoli e le feste, per lo più contenuti nello sfarzo, si svolgono a scadenze programmate sotto gli occhi di tutti, nelle piazze e nei teatri pubblici, dove i granduchi si mostrano con magnanimità prudente. Addirittura, in occasione della visita di Ferdinando IV di Borbone a Firenze, il 2 giugno

such familiarity, but as a Prince like himself»[10]. Music is repeatedly summoned up in the canvases of Cristoforo Munari, another of the favourite artists of Ferdinando who kept him at his court from 1707 onwards, having him paint a series of still lifes, many with musical instruments, in the wake of the more famous Evaristo Baschenis. A selection of these works, once collected in the villas of Pratolino, Poggio a Caiano and Artimino, are now on show in the exhibition to praise shiny lute and well-turned flute bodies, but also to remind us that life is fleeting like music and, as with music, sooner or later there is only silence.

Ferdinando died in 1713, his father Cosimo III in 1723, his brother Giangastone in 1739, and the Medici stock became extinct in 1743 with the death of the last heir, Anna Maria the Palatine Electress. Sir Horace Mann thus commented on the event on February 18th: «All our joy is over, the carnival is ruined, and we must give up all our plans of masked revels: the Electress died an hour ago [...] popular rumour has it that she went in a gust

of wind»[11]. Thus, in the midst of the howling of the elements, as is worthy of a regal exit from the scene, and in the midst of disappointment for the spoilt carnival. As less worthy of a family which for centuries had been the cultural lighthouse for the whole world, Florence and the Grand Duchy of Tuscany passed to Francesco Stefano of the Austrian house of the Lorraines.

The interest of the Lorraine family in music and the arts generally shows a very different profile and content from that of their predecessors. The new Grand Dukes were understandably more engaged on making the daily accounts tally than planning magnificent events; their obligations were more to keep the Florentines happy with detailed reforms and liberal gestures than to enjoy themselves in their villas. They appear in vivacious family portraits amidst their children, each one uglier than the other but so numerous as to squash any fear that the reigning house might again die out. Spectacles and balls, mostly of quite limited lavishness, took place at planned intervals

1785 fu data a palazzo Pitti una grandiosa festa alla quale poteva partecipare «ogni ceto di persone decentemente vestite sì di città che di campagna»; la musica per i balli era assicurata da due orchestre che suonavano sotto un grande ombrello di stoffa «a più colori con gran pennacchi il quale girando intorno a se stesso dava moto a grandi corpi sonori, che in gran numero pendevano dall'estremità del medesimo per accrescere sempre di più l'allegro strepito»[12]. Iniziativa che ci possiamo immaginare fosse accolta con sincero favore dal popolo e che servisse ad avvicinare la città ai nuovi sovrani, ma che per certo avrebbe fatto morire di sdegno Cosimo III e tutti i suoi predecessori.

Nel 1770 un visitatore straniero, l'inglese Charles Burney, in Italia per raccogliere materiale per la sua *General History of Music*, passando da Firenze non nasconde la sua delusione per la scarsa vivacità della vita musicale del tempo, per la difficoltà di accesso alle raccolte e alle biblioteche, per un'atmosfera, infine, di chiusura e di provincialismo che in città ormai si respirava ovunque. Per dirla con il Burney stesso: «Firenze è assai inferiore per vita musicale a qualsiasi altra grande città d'Italia. Nei teatri, nelle accademie, nelle chiese e nelle strade la musica è di livello più basso rispetto a qualsiasi altro luogo e inoltre se ne ascolta meno che altrove. Non esiste alcun grande clavicembalista né potei trovarvi buona musica che abbia varcato i confini e sia conosciuta in altri paesi europei»[13]. Ben diverso giudizio rispetto a quello su Venezia, dove «Ogni notte i canali risuonavano di musiche; in ogni gondola c'erano orchestre con corni, cantanti di duetti, ecc.»[14].

Nel 1777, nell'ambito di un generale riammodernamento di tutto l'arredo della reggia di Pitti, una grande vendita pubblica dava inizio alla dolorosa dispersione della ricchissima collezione di strumenti musicali della famiglia Medici, di cui i pezzi del Conservatorio di musica di Firenze, in questa sede esposti, sono rara e preziosa reliquia.

under the eyes of everyone, in the squares and public theatres, where the Grand Dukes appeared with prudent magnanimity. On the occasion of the visit of the Bourbon Ferdinando IV to Florence on June 2nd 1785, a grandiose ball was given at palazzo Pitti in which «every rank of decently-dressed person from the town or country» was allowed to participate. The music for the dances was guaranteed by two orchestras who played under a huge cloth umbrella «multi-coloured and with large plumes, which turned round and set in motion large sound boxes hanging numerous from its top, increasing the joyful clanging more and more»[12]. We may imagine that this initiative was greeted with the sincere favour of the people and served to bring the town closer to the new sovereigns, but certainly it would have made Cosimo III and his predecessors die of disdain.

In 1770 a foreign visitor, the Englishman Charles Burney, was in Italy to gather material for his *General History of Music*. Passing through Florence he could not hide his disappointment at the listlessness of the musical life of the time, at the difficulty of access to collections and libraries; in short, at an atmosphere of closure and provincialism which could now be perceived all over the town. In Burney's words: «Florence is quite inferior in its musical life to any other great town of Italy. In the theatres, academies, churches and streets the music is at a lower level than any other place and moreover one can hear less of it than elsewhere. There is no great harpsichord player, nor was I able to find any good music which had spread outside the confines and was known in other European countries»[13]. Very different from his words on Venice where «Every night the canals rang out with music; in every gondola there were orchestras with horns, duet singers, etc.»[14].

In 1777, during a general remodernisation of all the fittings and furnishings of the Palazzo Pitti, a great public sale began the painful dispersion of the rich collection of musical instruments of the Medici family of which the pieces of the Florence music Conservatory exhibited here are rare and precious relics.

[1] Nel catalogo scientifico pubblicato in questa occasione sono dettagliatamente illustrate tutte le fasi del lavoro di indagine e della ricerca storica. Il primo momento di studio, invece, è documentato in *Il museo degli strumenti musicali del Conservatorio Luigi Cherubini*, a cura di Mirella Branca, collana di studi "Il luogo del David", n. 2, Sillabe, Livorno 1999.

[2] Nel campo sterminato degli studi sulla famiglia Medici, quelli sul granprincipe Ferdinando costituiscono una nicchia specialistica a cui si è applicato per lunghi anni il musicologo Mario Fabbri. Negli anni Settanta due studiose hanno dedicato, sotto due diversi aspetti, il loro lavoro di tesi di laurea a questo personaggio: Mirella Branca, sotto la guida di Fabbri stesso, ne mise in luce, con puntualità e dovizia di materiale inedito, gli interessi musicali, mentre Maria Letizia Strocchi, allora allieva di Mina Gregori, studiò l'argomento sotto il profilo storico artistico e, ritornata poi con successive pubblicazioni sul tema, ne è rimasta l'esperta per eccellenza. A loro devo un generoso aiuto per questo mio contributo e per la realizzazione della mostra.

[3] Ferdinando nacque nel 1663 e la madre fuggì da Firenze nel 1675.

[4] L'assenso al suo primo viaggio a Venezia nel 1688 Ferdinando lo ebbe accettando di il matrimonio con Violante Beatrice di Baviera, che infatti sposò poco dopo il suo ritorno.

[5] È noto come il parco della villa di Pratolino fosse una sorta di giardino delle meraviglie pieno di viali alberati, grotte e giochi d'acqua, statue e automi, ideato dal granduca Francesco I. La villa, rimasta in stato di abbandono dopo la morte di Ferdinando, fu fatta abbattere da Ferdinando III di Lorena nel 1822.

[6] Il pittore bolognese Giuseppe Maria Crespi fu a lungo in profonda amicizia col granprincipe a partire dal 1701; non si esclude tuttavia che i due si fossero già conosciuti in occasione del secondo viaggio di Ferdinando a Bologna nel 1696.

[7] Sebastiano Ricci lavorò a Firenze tra il 1704 e il 1707, decorando una sala dell'appartamento estivo di Ferdinando, al piano terra di palazzo Pitti; il suo stile, dalla pennellata veloce e dalla luminosità chiara e trasparente, portò un tocco inaspettato di modernità nella reggia fiorentina.

[8] John Walter Hill, *Antonio Veracini in Context: New Perspectives from Documents, Analysis and Style* in "Early Music", vol. XVIII, n. 4, novembre 1990, pp. 545-562.

[9] Per un confronto iconografico sul ritratto di Scarlatti vedi l'incisione pubblicata in Mario Fabbri, *Alessandro Scarlatti e il Principe Ferdinando de' Medici*, Olschki, Firenze 1961, p. 13. La figura del musicista, che non era all'epoca presente a Firenze, potrebbe essere presa da uno dei numerosi ritratti esistenti del celebre maestro.

[10] Mario Fabbri, *Alessandro Scarlatti e il Principe Ferdinando de' Medici*, Olschki, Firenze 1961, p. 27.

[11] Harold Acton, *Gli ultimi Medici*, Einaudi, Torino 1962, p. 320.

[12] *I mobili di palazzo Pitti. Il primo periodo lorenese. 1737-1799*, a cura di Enrico Colle, Centro Di, Firenze 1992, p. 33.

[13] Charles Burney, *Viaggio musicale in Italia*, a cura di Enrico Fubini, E.D.T., Torino 1987, p. 227.

[14] *Ibidem*, p. 149.

[1] In the scientific catalogue published on this occasion all the stages of the work of investigation and historical research are described in detail. The first phase of the study is instead documented in *Il museo degli strumenti musicali del Conservatorio Luigi Cherubini*, edited by Mirella Branca, in the series of studies "Il luogo di David", No. 2, Sillabe, Leghorn 1999.

[2] In the huge field of studies on the Medici family, those on the Grand Prince Ferdinando are a specialist niche to which the musicologist Mario Fabbri applied himself for many years. In the 1970s two scholars dedicated their degree theses to this personage in different ways: Mirella Branca, under the guidance of Fabbri himself, revealed his musical interests with thoroughness and an admirable amount of unpublished material; Maria Letizia Strocchi, then the student of Mina Gregori, studied the subject from the historical/artistic point of view, and has remained the absolute expert on the theme, publishing other books and papers. I thank them for their generous help with this article and with the setting up of the exhibition.

[3] Ferdinando was born in 1663 and his mother fled from Florence in 1675.

[4] Ferdinando won assent for his first journey to Venice in 1688 by accepting the marriage with Violante Beatrice of Bavaria, whom he in fact married soon after his return.

[5] It is well-known that the villa of Pratolino was a kind of wonderland, full of tree-lined avenues, grottoes and water games, statues and mechanical devices, devised by Grand Duke Francesco I. The villa, which remained in a state of abandon after the death of Ferdinando, was demolished by Ferdinando III of Lorraine in 1822.

[6] The Bolognese painter Giuseppe Maria Crespi was for a long time a close friend of the Grand Prince from 1701 onwards; it cannot however be ruled out that the two men had already met during the second journey of Ferdinando to Bologna in 1696.

[7] Sebastiano Ricci worked in Florence between 1704 and 1707, decorating a room of the summer apartment of Ferdinando, on the ground floor of palazzo Pitti; his style, rapid brushwork and clear, transparent luminosity gave the Florentine palace a touch of unexpected modernity.

[8] John Walter Hill, *Antonio Veracini in Context: New Perspectives from Documents, Analysis and Style* in "Early Music", Vol. XVIII, No. 4, November 1990, pp. 545-562.

[9] For an iconographic comparison with the portrait of Scarlatti see the etching published in Mario Fabbri, *Alessandro Scarlatti e il Principe Ferdinando de' Medici*, Olschki, Florence 1961, p. 13. The figure of the musician, who in that period wasn't in Florence, could have been taken from one of his many portrait existing.

[10] Mario Fabbri, *Alessandro Scarlatti e il Principe Ferdinando de' Medici*, Olschki, Florence 1961, p. 27.

[11] Harold Acton, *Gli ultimi Medici*, Einaudi, Turin 1962, p. 320.

[12] *I mobili di palazzo Pitti. Il primo periodo Lorenese. 1737-1799*, edited by Enrico Colle, Centro Di, Florence 1992, p. 33.

[13] Charles Burney, *Musical Tours in Europe*, edited by Percy A. Scholes, Oxford University Press, London 1959, p. 191.

[14] *Ibidem*, p. 149.

Gli strumenti granducali: storia di una collezione

Gabriele Rossi Rognoni

Riunire una collezione di strumenti musicali in un museo è una scelta che impone inevitabilmente di confrontarsi con un problema di fondo: se gli strumenti esprimono la propria funzione artistica principale nell'essere usati per fare musica, che ragione c'è di esporli, come delle statue, all'interno di teche di vetro dalle quali è impossibile sentirne il suono, con il risultato di rapportarli, in prima istanza, al senso della vista anziché a quello, per il quale furono soprattutto creati, dell'udito?

Sin dalla preistoria gli strumenti musicali hanno unito la propria funzione di "utensili", ovvero di oggetti necessari all'uomo per produrre sonorità che non poteva ottenere col solo canto o con il corpo, con un'espressione estetica che spazia da semplicissime decorazioni geometriche o antropomorfe sino a ricchissime elaborazioni che interessano anche la scelta di materiali insoliti, il ricorso a complessi intarsi e le decorazioni pittoriche che persino superano per la loro bellezza, in alcuni casi, le qualità musicali dello strumento. Nella forma stessa fissata per gli strumenti musicali, inoltre, si combinano il più delle volte considerazioni prettamente tecniche, legate alle necessità di utilizzo dell'oggetto e alle sonorità che produce, e scelte di carattere estetico. Arte figurativa, quindi, da una parte, ma sempre, o quasi sempre, come ancella del suono.

Questa considerazione diventa ancora più determinante se la si confronta

The grand-ducal instruments: history of a collection

Gabriele Rossi Rognoni

The choice of gathering together a collection of musical instruments in a museum is one which inevitably forces a fundamental problem: if the instruments express their main artistic function in being used to make music, what reason is there to exhibit them like statues inside glass cases from which it is impossible to hear their sound? The result seems to relate them in the first instance to the sense of sight rather than that for which they were created, hearing.

Since prehistory, musical instruments have united their function of "tools", or objects which are necessary for man to produce sounds which he could not obtain with singing or with his body alone, with an aesthetic expression which ranges from simple geometric or anthropomorphic decorations to rich ornamentations that also involve the choice of unusual materials and the recourse to complex inlays and pictorial decorations which in some cases outdo the musical qualities of the instrument in their beauty. In the very form fixed for the musical instrument purely technical considerations, linked to the need for the use of the object and to the sounds which it produces, are often combined with aesthetic choices. Thus, figurative art on the one hand, but always, or almost always, as subservient to the sound.

This consideration becomes even more significant compared with the history of the instruments of the collections of the

con la storia degli strumenti delle collezioni dei granduchi di Toscana che furono sempre considerati a pieno titolo oggetti destinati alle attività musicali della corte, e vennero quindi regolarmente acquistati, trasformati, riparati, prestati, donati o, infine, venduti quando le loro condizioni, a causa dell'utilizzo eccessivo o dell'abbandono, non ne avessero più permesso l'uso o quando non fosse stato più possibile intervenire con trasformazioni e sostituzioni per aggiornarli ai bisogni dei nuovi stili musicali, del nuovo gusto e delle diverse abitudini[1]. Persino quando gli strumenti superstiti della collezione passarono in consegna al Regio Istituto Musicale di Firenze, nel 1863, in funzione del loro riconosciuto valore storico e musicale, non cessarono di essere sottoposti a trasformazioni anche rilevanti tese ad "aggiornarne" le caratteristiche musicali e, quindi, a renderli adatti all'esecuzione del repertorio ottocentesco in grandi sale da concerto per le quali, di sicuro, non erano stati originariamente concepiti[2]. È chiaro, quindi, lo stretto legame che unì, per oltre due secoli, questi strumenti a un repertorio, a un gusto, a una situazione sociale che, lungi dal rimanere immutati, richiedevano via via sonorità più intense, timbri più brillanti e possibilità tecniche differenti.

In una città come Firenze, dominata da sempre in maniera preponderante dalle arti figurative, la musica stentò a ottenere quell'autonomia che aveva, invece, in altre città italiane: in epoca medicea le esecuzioni, pubbliche e private, tendevano per lo più a conferire fasto e solennità alle celebrazioni che coinvolgevano la famiglia granducale, laddove, dopo un lungo periodo di transizione, i Lorena preferirono portare con sé le tradizioni austriache e tedesche, che in altre città italiane non si sarebbero affermate che un secolo più tardi, piuttosto che promuovere lo sviluppo e l'affermazione della musica italiana. Non è un caso che Luigi Cherubini, sicuramente il più celebre tra i compositori del XVIII secolo nati a Firenze, preferì trasferirsi, nonostante il favore e l'aiuto di Pietro Leopoldo, pri-

Grand Dukes of Tuscany. These were always essentially considered as objects destined for the musical activities of the court, and were thus regularly bought, transformed, repaired, lent, donated or finally sold when their conditions, due to their excessive use or abandonment, no longer permitted their use. Also when it was no longer possible to intervene with transformations and substitutions to update them to the needs of the new musical styles, the new taste and the different habits[1]. Even when the surviving instruments of the collection were entrusted to the Regio Istituto Musicale of Florence in 1863 because of their recognised historical and musical value, they did not cease to undergo even quite large transformations to "update" their musical features and, hence, to render them suitable for the playing of the 19th century repertoire in great concert halls for which they had certainly not been originally conceived[2]. We can thus clearly understand the close link uniting these instruments to a repertoire, a taste, a social situation which, far from remaining unchanged, required ever more intense sounds, ever more brilliant tones and differing technical possibilities.

In a town like Florence, which has always been preponderantly dominated by the figurative arts, music struggled to obtain the autonomy that it had in other Italian towns. In the Medici era the public or private performances tended mostly to confer pomp and solemnity to the celebrations which involved the grand-ducal family, whereas, after a long period of transition, the Lorraine family preferred to bring with it the Austrian and German traditions, which other Italian towns would catch only a century later, rather than promote the development and affirmation of Italian music. It is no coincidence that Luigi Cherubini, certainly the most famous of the 18th century composers born in Florence, preferred to move, despite the favour and help of Pietro Leopoldo, first to Paris and then to Vienna, where he would certainly find a more fervid and active musical environment.

ma a Parigi e dopo a Vienna, dove avrebbe trovato un ambiente musicale sicuramente più fervido e attivo.

Fu solo con la figura del granprincipe Ferdinando de' Medici (1663-1713) che la musica acquisì una posizione di primo piano, come espressione artistica non asservita alle necessità di stato, nella vita fiorentina[3]. Questi, figlio di Cosimo III, dimostrò scarso interesse per i problemi diplomatici e di governo, e si dedicò invece con passione alle arti e, in particolar modo, alla musica e all'opera. Ferdinando si circondò di artisti toscani, senza però cadere nel provincialismo, e attirò e coinvolse, anzi, nella vita musicale di corte musicisti del calibro di Georg Friedrich Händel, di Alessando e Domenico Scarlatti, di Giacomo Antonio Perti, compositori tra l'altro di alcune delle musiche che si eseguivano alla Santissima Annunziata per le celebrazioni. La vera passione di Ferdinando, però, erano le opere, che faceva rappresentare ogni anno nei mesi di luglio e agosto nella residenza estiva di Pratolino, impiegando numerose persone tra ballerini, cantanti, tecnici,

Viola di Giovanni Grancino,
Milano 1662.
Milano, Civico museo
degli strumenti musicali.

Viola by Giovanni Grancino,
Milan 1662.
Milan, Civico museo
degli strumenti musicali.

It was first with the figure of the Grand Prince Ferdinando de' Medici (1663-1713) that music acquired an important position in Florentine life as an artistic expression not at the service of the state[3]. This son of Cosimo III showed a lack of interest for diplomatic and governmental problems and dedicated himself with passion to the arts and particularly to music and opera. Ferdinando surrounded himself with Tuscan artists without, however, falling into provincialism. Indeed he attracted to and involved in court musical life musicians of the calibre of Georg Friedrich Händel, Alessandro and Domenico Scarlatti, Giacomo Antonio Perti, composers of some of the music which was played at Santissima Annunziata for the celebrations. However, Ferdinando's true passion were operas, which he had performed every year in the months of July and August in the summer residence of Pratolino using numerous dancers, singers, technicians which, at least up to the last years of the 17th century, were always specially composed by the virtuoso Giovanni Maria Pagliardi. It was again Ferdinando, who in 1688 after his first journey to the

e che, almeno sino agli ultimi anni del Seicento, furono sempre composte appositamente dal virtuoso Giovanni Maria Pagliardi. Fu ancora Ferdinando che nel 1688, dopo il suo primo viaggio nella ben più musicale Venezia, convinse il cembalaro Bartolomeo Cristofori, di Padova, a trasferirsi a Firenze dove entrò a far parte dei "virtuosi" della corte, al pari dei migliori musicisti, e dove, alcuni anni dopo, inventò lo strumento che lo avrebbe legato per sempre alla storia della musica occidentale: il pianoforte[4].

Il granducato della famiglia de' Medici stava ormai, però, volgendo al termine tra difficoltà economiche e politiche e la passione per la musica di Ferdinando, che morì giovane e senza discendenti, non trovò alcun seguito negli anni successivi e fu destinata a costituire un momento isolato all'interno della vita del granducato.

È naturale che la collezione di strumenti musicali della corte rispecchi un simile percorso. Se pur la raccolta raggiunse la massima imponenza, dal punto di vista numerico, intorno agli anni Venti del XVII secolo, con oltre duecento oggetti, fu con la collezione personale di Ferdinando che si raggiunse il momento di massimo splendore per la qualità dei pezzi raccolti. Fu una fortunata coincidenza che Ferdinando vivesse proprio nel periodo in cui erano attivi i più importanti liutai della tradizione classica italiana, tra cui Antonio Stradivari e Nicolò Amati, e alcuni tra i più importanti costruttori di strumenti a tastiera, primo fra tutti Cristofori.

Con la morte di Ferdinando, nel 1713, la collezione fu assorbita, come era consuetudine, dalla Guardaroba granducale, ed entrò, quindi, a far parte dei beni della corte. È da questo nucleo che provengono alcuni degli strumenti più pregiati tra quelli che si sono conservati sino a oggi della collezione granducale: tre violoncelli, tra cui uno di Nicolò Amati, quattro dei cinque strumenti costruiti da Antonio Stradivari per Ferdinando nel 1690, un cembalo interamente costruito d'ebano e due spinette ovali di Bartolomeo Cristofori. Si tratta di un numero abba-

much more musical Venice, convinced the harpsichord-maker Bartolomeo Cristofori of Padua to move to Florence where he became one of the court "virtuosi", the equal of the best musicians, and where some years later, he invented the instrument that would forever link him to the history of western music: the pianoforte[4].

The Grand Duchy of the Medici family was however now reaching its end with its economic and political difficulties. This passion for music of Ferdinando, who died young and heirless, was not followed up in the subsequent years and was destined to constitute an isolated moment inside the life of the Grand Duchy.

It is natural that the collection of court musical instruments reflects this history. Although the collection reached its maximum potential from the numerical point of view around the second decade of the 17th century with over two hundred objects, it was with Ferdinando's personal collection that it achieved its moment of maximum splendour for the quality of the pieces. It was a lucky coincidence that Ferdinando lived just in the period when the most important violin-makers of the Italian classical tradition were active, including Antonio Stradivari and Nicolò Amati, as well as some of the most important keyboard-instrument makers, the most important being Cristofori.

With the death of Ferdinando in 1713, the collection was absorbed by the grand-ducal Guardaroba, as was the custom, and it thus became part of court property. It is this nucleus which some of the most precious instruments of the grand-ducal collection preserved today come from: three cellos, one by Nicolò Amati; four of the five instruments made by Antonio Stradivari for Ferdinando in 1690; a harpsichord made wholly of ebony and two oval spinets by Bartolomeo Cristofori.

It is a rather low number if it is compared with the over one hundred instruments listed in an inventory of 1700 which included more than thirty keyboard instruments, a similar number of string instruments and almost the same number of wind instruments[5].

The deterioration and dispersion of the pieces of Ferdinando's collection already

stanza esiguo, se confrontato con gli oltre cento strumenti elencati in un inventario dell'anno 1700, che comprendeva, tra l'altro, più di trenta strumenti a tastiera, altrettanti strumenti ad arco, e quasi altrettanti strumenti a fiato[5]. Il deterioramento e la dispersione dei pezzi della collezione di Ferdinando iniziò già dai primi anni di governo lorenese. Francesco Stefano, infatti, succeduto nel 1737 a Gian Gastone, ultimo granduca mediceo, preferì risiedere a Vienna accanto alla moglie Maria Teresa d'Asburgo, piuttosto che trasferirsi in Toscana, dove fece soltanto una fugace comparsa due anni dopo la sua nomina ufficiale.

Nonostante la presenza dell'Elettrice Palatina, le attività di rappresentanza della corte, affidata alla reggenza del principe di Craon che sembrava più interessato alla dispersione e alla vendita dei beni di corte che alla loro conservazione, furono ridotte in modo drastico, cosicché, venendo a mancare le occasioni pubbliche, la pratica di prestare gli strumenti a privati, più o meno legati alla corte, aumentò in maniera sostanziale demandandone ai musicisti il mantenimento e la conservazione. Quando, con l'arrivo di Pietro Leopoldo a Firenze nel 1765, fu richiesta la restituzione alla corte di tutti gli strumenti granducali in prestito molti risultavano irreparabilmente danneggiati o, in alcuni casi, del tutto persi. Il momento cruciale, però, per la trasformazione della collezione, iniziò alla fine degli anni Settanta, quando con una grande asta furono venduti più di cento strumenti di ogni tipo, tra cui cornetti, flauti dolci, lire da gamba, considerati ormai inadatti alle necessità musicali del tempo, o troppo danneggiati per essere riparati[6]. Tra la fine del XVIII e il primo ventennio del XIX secolo, inoltre, gli strumenti che non erano stati venduti furono sottoposti, con rarissime eccezioni, a interventi di ammodernamento che, tramite modifiche strutturali e sostituzione di parti li adattavano alle nuove necessità.

Il quindicennio iniziato con il primo governo provvisorio francese nel 1799, vede alternarsi non meno di dieci diverse soluzioni politiche in un clima di

began in the early years of the Lorraine government. In fact Francesco Stefano, who succeeded in 1737 to Gian Gastone, the last Medici Duke, preferred to reside in Vienna with his wife, Maria Teresa of Hapsburg, rather than transfer to Tuscany where he put in only a fleeting appearance two years after his official nomination. Despite the presence of the Palatine Electress, court receptions, entrusted to the regency of the Prince of Craon who seemed to be more interested in the dispersion and sale of court property than in their preservation, were drastically reduced to the extent that, since public occasions were lacking, the practice of lending the instruments to private borrowers more or less linked to the court increased substantially. Their maintenance and preservation being delegated to the musicians themselves. When with the arrival of Pietro Leopoldo in Florence in 1765 the request was made to restore to the court all the grand-ducal instruments on loan, many were found to be irreparably damaged or in some cases wholly lost. The crucial moment for the transformation of the collection, however, began at the end of the 1770s when more than one hundred instruments of every type were sold at a huge auction. These included cornetts, recorders, lira da gambas, all now considered unsuitable for the musical needs of the time, or too damaged to be repaired[6]. Between the end of the 18th and the second decade of the 19th centuries the bowed instruments which had not been sold were with very rare exceptions submitted to modernisation, which adapted them to the new needs through structural interventions and substitution of parts.

The fifteen-year period which began with the first temporary French government in 1799 saw the alternation of no less than ten different political solutions in a climate of confusion which, on the one hand, was not particularly favourable to musical life, nor does it permit us to clearly reconstruct the purchases, sales and legal or illegal movements of the grand-ducal possessions. Just after the restoration however, we discover at the same time that some instruments are no longer present in

confusione che, se da una parte non è particolarmente favorevole alla vita musicale, non permette nemmeno di ricostruire con chiarezza le vicende degli acquisti, delle vendite e delle sottrazioni lecite o illecite dal patrimonio granducale. Poco dopo la Restaurazione, comunque, a fronte di alcuni strumenti non più presenti nella collezione, se ne trovano altri acquisiti in modo più o meno chiaro.

Con l'acquisto di nuovi strumenti, tra cui cembali, fiati, archi, pianoforti inglesi e toscani e percussioni, da parte di Pietro Leopoldo e del suo successore Ferdinando III tra l'ultimo decennio del XVIII secolo e il periodo subito successivo alla Restaurazione, la collezione raggiunse la fisionomia definitiva, profondamente differente, come è facile immaginare, da quanto non fosse quasi un secolo prima: meno ricca e ricercata e più adatta agli usi di una corte il cui gusto musicale sembra principalmente legato alle riduzioni operistiche per fiati, ad alcuni balli di provenienza, naturalmente, austriaca, e che di italiano conservava ormai solo la musica d'opera, prevalentemente napoletana[7]. Parallelamente a quanto avveniva per il repertorio e per il gusto, anche diversi strumenti musicali erano stati importati direttamente dall'Austria, forse portati a Firenze dallo stesso Ferdinando III di ritorno nel 1814. Tra questi si trovavano alcuni strumenti destinati alle esecuzioni bandistiche o orchestrali a cui se ne aggiunsero altri quasi un quindicennio più tardi, provenienti, questa volta, da Torino. Di incerta provenienza, invece, sono diversi strumenti ad arco tra cui un violino di Antonio Stradivari e un contrabbasso con incerta attribuzione a Bartolomeo Cristofori. Con questo erano praticamente chiuse le vicende della collezione granducale. Le movimentate vicende politiche della Toscana, coinvolta nei moti rivoluzionari del 1849 e la successiva annessione al regno di Sardegna (1860) lasciarono probabilmente poco tempo ai Lorena per occuparsi delle attività musicali.

Nel 1863, spenta ancora una volta la vita della corte, gli strumenti furono

the collection and that others have been purchased in a more or less clear way.

With the purchase of new instruments, including harpsichords, wind and string instruments, English and Tuscan pianos and percussion instruments by Pietro Leopoldo and his successor Ferdinando III between the last decade of the 18th century and the period immediately following the Restoration, the collection achieves its final physiognomy. A profoundly different one, as may easily be imagined, from that of almost a century earlier: less rich and refined and more suitable for the uses of a court whose musical taste seems to be mainly linked to operatic arrangements for wind instruments, some dances of naturally Austrian origin and leaving only mainly Neapolitan opera music on the Italian side[7]. Parallel to what was happening for repertoire and taste, even several musical instruments had been imported directly from Austria, perhaps brought to Florence by Ferdinando III himself on his return in 1814. Among these were some instruments destined for band or orchestra performances, to which others were added fifteen years later, this time coming from Turin. Various string instruments, including a violin by Antonio Stradivari and a counter-bass with an uncertain attribution to Bartolomeo Cristofori, are of uncertain origin.

With this, the history of the grand-ducal collection had practically come to an end. The restless political life of Tuscany, involved in the 1849 revolutionary riots and the subsequent annexing to the Kingdom of Sardinia (1860), probably left the Lorraine family little time to think of musical activities. In 1863 when court life was again extinguished, the instruments were transferred to the Regio Istituto Musicale of Florence at the initiative of the then president Luigi Ferdinando Casamorata, but only in 1911 was it possible to gather them into a museum which was open to the public.

It is perhaps possible at this point to suggest an answer to the question which began this essay: it may easily be intuited how the instruments of this collection, alongside study of the numerous documents kept in the grand-ducal archives, of the music performed at court, of the pain-

trasferiti al Regio Istituto Musicale di Firenze per interessamento dell'allora presidente Luigi Ferdinando Casamorata, ma solo nel 1911 fu possibile riunirli in un museo aperto al pubblico.

È forse possibile, a questo punto, suggerire una risposta al quesito con cui si era inaugurato questo scritto: è facile intuire come gli strumenti di questa collezione, accostati allo studio dei numerosissimi documenti conservati negli archivi granducali, delle musiche eseguite alla corte, dei dipinti e di svariati altri elementi, costituiscano la tessera fondamentale nella ricostruzione di un aspetto del mondo e della vita del Granducato di Toscana, quello musicale, e della società a esso collegato.

Ecco per quale ragione si è deciso, in questo caso, di far prevalere il valore che questa collezione ha come testimonianza di un aspetto di una civiltà e di un mondo che, proprio perché fondato su suono e musica, è per sua natura estremamente effimero.

Perché questo aspetto possa essere ricostruito in modo efficace, però, è impossibile prescindere dalla musica per cui questi strumenti furono concepiti. Non sarà mai possibile, tuttavia, soprattutto nel caso degli strumenti a corde, riascoltare il suono che essi, ora invariabilmente modificati nella struttura, nelle tensioni e in parti fondamentali, offrivano alle orecchie dei granduchi per i quali furono costruiti.

Le loro voci attuali sono, piuttosto, una testimonianza delle necessità e del gusto musicale ottocentesco, per il quale questi strumenti furono adattati. L'unica possibilità, anche se solo in parte soddisfacente, per riascoltare quella che potrebbe esserne stata la voce "originale", risiede oggi nella produzione di copie, elaborate seguendo le stesse tecniche costruttive e con gli stessi materiali degli originali, che offrano all'orecchio moderno una ricostruzione quantomeno delle tipologie sonore che erano caratteristiche, da principio, di questi strumenti. È per questo che lo strumento musicale diventa, anche quando è muto, uno scrigno di informazioni musicali e sonore che deve essere preservato.

---

tings and various other elements, form the basic tissue for the reconstruction of an aspect of the world and life of the Grand Duchy of Tuscany; that of music and the society linked to it. It is for this reason that it has been decided in this case to give priority to the value that this collection has as witness to an aspect of a civilisation and a world that is extremely transitory in its nature, just because it is based on sound and music.

For this aspect to be expressed effectively, however, we cannot neglect the music for which these instruments were conceived. It will in any case never be possible, above all for the string instruments, to listen again to the sound they offered the ears of the grand-dukes for whom they were made, since their structure, tensions and fundamental parts are now invariably modified. Their present voices are rather a witness to the 19th century needs and tastes for which they were adapted.

The only chance of listening again to what may have been the "original" voice, though this is not completely satisfactory, lies nowadays in the production of copies made following the same construction techniques and the same materials of the originals. These offer the modern ear a reconstruction at least of the sound types which were originally characteristic of these instruments. It is for this that the musical instrument, even when it is mute, becomes a treasure-trove of musical and sonorous information which must be preserved.

[1] An overview of the historical vicissitudes of purchase, transformation and transfer of the grand-ducal instruments can be found in Marco Di Pasquale, Giuliana Montanari, *Le collezioni di strumenti musicali dei Medici e dei Lorena: modalità e vicende della dispersione*, in *Il Museo degli strumenti musicali del Conservatorio Luigi Cherubini*, edited by Mirella Branca, in the series of studies "Il luogo del David", No. 2, Sillabe, Leghorn 1999, pp. 91-101. For the interventions of transformation, modification and restoration to which the instruments were regularly submitted see Giuliana Montanari, *Conservazione e restauro degli strumenti ad arco alla corte di Firenze in epoca lorenese (1737-1770)*, in "Liuteria Musica e Cultura", 1997, pp. 3-19, and Pierluigi Ferrari, *Interventi per l'ammodernamento degli strumenti ad arco della collezione mediceo-lorense, 1733-1765*, in *Strumenti, Musica e Ricerca*, edited by Elena Ferrari Barassi, Marco Fracassi, Gianpaolo Gre-

[1] Una panoramica delle vicende storiche di acquisizione, trasformazione e alienazione degli strumenti granducali si trova in Marco Di Pasquale, Giuliana Montanari, *Le collezioni di strumenti musicali dei Medici e dei Lorena: modalità e vicende della dispersione*, in *Il Museo degli strumenti musicali del Conservatorio Luigi Cherubini*, a cura di Mirella Branca, collana di studi "Il luogo del David", n. 2, Sillabe, Livorno 1999, pp. 91-101. Per gli interventi di trasformazione, modifica e restauro a cui gli strumenti erano sottoposti regolarmente si veda Giuliana Montanari, *Conservazione e restauro degli strumenti ad arco alla corte di Firenze in epoca lorenese (1737-1770)*, in "Liuteria Musica e Cultura", 1997, pp. 3-19 e Pierluigi Ferrari, *Interventi per l'ammodernamento degli strumenti ad arco della collezione mediceo-lorenese, 1733-1765*, in *Strumenti, Musica e Ricerca*, a cura di Elena Ferrari Barassi, Marco Fracassi, Gianpaolo Gregori, Ente Triennale degli Strumenti ad Arco, Cremona 2000, pp. 193-202.

[2] Per una documentazione sulle trasformazioni di alcuni strumenti di liuteria granducali successive al 1863 si veda Vinicio Gai, *Gli strumenti musicali della corte medicea*, Licosa, Firenze 1969, pp. 53-58 e Giuliana Montanari, *Per una storia documentaria degli strumenti ad arco di provenienza granducale conservati al Museo del Conservatorio Luigi Cherubini*, in *Il museo degli strumenti musicali del Conservatorio Luigi Cherubini, cit.*, pp. 40, 49.

[3] Sul rapporto tra Ferdinando e la musica si veda, tra gli altri, Leto Puliti, *Della vita del Ser.mo Ferdinando dei Medici gran principe di Toscana e della origine del pianoforte*, in "Atti della Accademia del R. Istituto Musicale di Firenze", XII 1874, pp. 92-240; Michael O' Brien, *Bartolomeo Cristofori at Court in Late Medici Florence*, Ph. D., The Catholic University of America, Washington 1994 (stampa UMI, n. 9424289), pp. 51-66.

[4] Una dettagliata rassegna delle informazioni biografiche su Bartolomeo Cristofori si trova in Michael O' Brien, *Bartolomeo Cristofori, cit*. Sull'invenzione del pianoforte, invece, tra i numerosi scritti esistenti, si rimanda a Stewart Pollens, *The Pianos of Bartolomeo Cristofori*, "Journal of the American Musical Instrument Society", X 1984, pp. 32-68: 32-36 o, dello stesso autore, *The Early Pianoforte*, Cambridge University Press, Cambridge (Mass.) 1995.

[5] L'inventario è stato integralmente pubblicato da Vinicio Gai, *Gli strumenti musicali della corte medicea, cit.*, pp. 6-22.

[6] L'elenco degli strumenti venduti nell'asta del 1777 è pubblicato in Marco Di Pasquale, Giuliana Montanari, *Le collezioni di strumenti musicali dei Medici e dei Lorena, cit.*, pp. 98-101.

[7] Le musiche eseguite alla corte lorenese sono attualmente custodite presso la biblioteca del Conservatorio di musica di Firenze. Delle musiche medicee sembra, invece, accertata la dispersione e, comunque, la scomparsa.

gori, Ente Triennale degli Strumenti ad Arco, Cremona 2000, pp. 193-202.

[2] For documentation on the transformations of some grand-ducal bowed instruments after 1863 see Vinicio Gai, *Gli strumenti musicali della corte medicea*, Licosa, Florence 1969, pp. 53-58 and Giuliana Montanari, *Per una storia documentaria degli strumenti ad arco di provenienza granducale conservati al Museo del Conservatorio Luigi Cherubini*, in *Il museo degli strumenti musicali del Conservatorio Luigi Cherubini, cit.*, pp. 40, 49.

[3] On the relationship between Ferdinando and music see, among others Leto Puliti, *Della vita del Ser.mo Ferdinando dei Medici gran principe di Toscana e della origine del pianoforte* in "Atti della Accademia del R. Istituto Musicale di Firenze", XII 1874, pp. 92-240; Michael O'Brien, *Bartolomeo Cristofori at Court in Late Medici Florence*, Ph. D., The Catholic University of America, Washington 1994 (UMI print, No. 9424289), pp. 51-66.

[4] A detailed overview of the biographical information on Bartolomeo Cristofori is found in Michael O'Brien, *Bartolomeo Cristofori, cit*. On the invention of the pianoforte, instead, see, among the numerous existing writings Stewart Pollens, *The Pianos of Bartolomeo Cristofori*, in "Journal of the American Musical Instrument Society", X 1984, pp. 32-68: 32-36 or, by the same author, *The Early Pianoforte*, Cambridge University Press, Cambridge (Mass.) 1995.

[5] The inventory has been published in full by Vinicio Gai, *Gli strumenti musicali della corte medicea, cit.*, pp. 6-22.

[6] The list of instruments sold in the 1777 auction is published in Marco di Pasquale, Giuliana Montanari, *Le collezioni di strumenti musicali dei Medici e dei Lorena, cit.*, pp. 98-101.

[7] The music played in the Lorraine court is currently kept in the library of the Florence music Conservatory. The dispersion or in any case disappearance of the Medici music seems instead to be certain.

Alla pagina seguente:
Cristoforo Munari, *Panoplia musicale*, 1707-1713 circa, particolare. Firenze, Galleria Palatina (in deposito temporaneo presso la Galleria dell'Accademia).

Following page:
Cristoforo Munari, *Musical panoply*, c. 1707-1713, detail. Florence, Galleria Palatina (on temporary loan to the Galleria dell'Accademia).

La musica
alla corte granducale

I circa cinquanta strumenti musicali in esposizione, tra strumenti di liuteria, chitarre, tastiere, strumenti a fiato e percussioni rappresentano ciò che resta della ricchissima collezione granducale della corte di Toscana che raggiunse il massimo splendore al tempo del granprincipe Ferdinando de' Medici (1663-1713) e fu ininterrottamente utilizzata per le esecuzioni di musica strumentale, da banda, per l'accompagnamento delle danze e delle opere teatrali sino alla cessazione della corte con l'annessione della Toscana al regno d'Italia nel 1860. Proprio a causa dell'impiego continuo molti strumenti furono sottoposti, nel corso dei secoli, a interventi di manutenzione e trasformazione a volte radicali di cui si sono spesso trovate notizie nei documenti dell'archivio granducale. La collezione, in questo modo, costituisce una testimonianza tanto della vita musicale della corte fiorentina tra il XVII e il XIX secolo, quanto della storia delle trasformazioni e degli interventi a cui gli strumenti, tradizionalmente, venivano sottoposti per aggiornarli e adattarli alle necessità dei repertori e del gusto musicale che, via via, andavano mutando.

Music
at the grand-ducal court

The approximately fifty musical instruments on display, including bowed instruments, guitars, keyboard, wind and percussion instruments are what remains of the extremely rich grand-ducal collection of the court of Tuscany. This reached its maximum splendour at the time of the Grand Prince Ferdinando de' Medici (1663-1713), and was uninterruptedly used for the performances of instrumental and band music and as the accompaniment of dances and operas up to the cessation of the court with the annexing of Tuscany to the Kingdom of Italy in 1860.

Just because of their continuous use many instruments were submitted over the centuries to sometimes radical interventions of maintenance and transformation, news of which can often be found in the documents of the grand-ducal archives. In this way the collection provides a testimony both to the musical life of the Florentine court between the 17th and 19th centuries, and to the history of the transformations and interventions to which the instruments were customarily submitted to update them and adapt them to the needs of the constantly-changing repertoires and musical taste.

Violoncello, 1650 circa
Nicolò Amati (Cremona 1596-1684)

Legno di abete rosso e acero
Lunghezza totale cm 122
Misure della cassa: lunghezza cm 75,7;
larghezza massima superiore cm 37,1;
larghezza minima al centro cm 25,5;
larghezza massima inferiore cm 45,7
Inv. Cherubini 1988/33

Lo strumento è registrato per la prima volta nel 1700 nell'inventario degli strumenti appartenenti al Granprincipe Ferdinando de' Medici. Sul cartiglio, incollato all'interno della cassa come è usuale per gli strumenti ad arco, si legge il nome del costruttore e la data 1660. Pur essendo confermata l'attribuzione al liutaio cremonese, attivo specialmente tra il 1630 e il 1670, una commissione di esperti ha recentemente proposto per lo strumento una datazione di

Violoncello, c. 1650
Nicolò Amati (Cremona 1596-1684)

Spruce and maple wood
Total length 122 cm
Body measurements: length 75.7 cm;
maximum upper width 37.1 cm;
minimum centre width 25.5 cm;
maximum lower width 45.7 cm
Inv. Cherubini 1988/33

The instrument was registered for the first time in 1700 in the inventory of instruments belonging to the Grand Prince Ferdinando de' Medici. On the label, glued inside the body as is usual for string instruments, we can read the name of the maker and the date 1660. Though the attribution to the Cremona instrument-maker who was specially active between 1630 and 1670 is confirmed, a commission of experts has recently proposed a dating for the instrument of about

circa un decennio precedente rispetto alla data riportata sul cartiglio.

Lo strumento conserva solo in parte il suo aspetto originale, in quanto le dimensioni della cassa, in origine un poco maggiori, sono state ridotte in larghezza e in lunghezza alla fine del XVIII secolo, asportando una striscia di legno dal centro della tavola e del fondo e ritagliando una parte dei bordi superiori e inferiori.

Si trattava di un intervento alquanto frequente sui violoncelli della prima metà del Seicento. Fino a quella data, infatti, gli strumenti bassi della famiglia del violino erano stati costruiti con dimensioni maggiori in quanto le caratteristiche delle corde allora in uso, di budello animale ritorto, richiedevano notevoli lunghezze vibranti per produrre buone sonorità gravi. Grazie a un'innovazione introdotta forse a Bologna proprio a metà del Seicento, che consisteva nel ricoprire la corda di budello con un sottilissimo avvolgimento di filo d'argento, fu possibile adottare corde più corte e sottili, senza rinunciare alla qualità dei suoni gravi. La nuova misura ebbe rapidamente il sopravvento, per la maggiore agilità nell'esecuzione e nel maneggio, e così, oltre a iniziare la costruzione di strumenti più piccoli, si diffuse la pratica di "ritagliare" le casse degli strumenti più grandi per renderli, in qualche modo, aggiornati.

È da notare il ponticello di questo strumento, di modello antico del tipo in uso sino al XVIII secolo, con una struttura molto più esile di quelli moderni e adatta a una pressione delle corde notevolmente inferiore a quella attualmente in uso.

ten years earlier than the date shown on the label.

The instrument only partly preserves its original appearance, in that the dimensions of the body, originally a little larger, were reduced in width and length at the end of the 18th century, a strip of wood being removed from the centre of the belly and of the back and part of the upper and lower edges being reduced.

This was quite a frequent intervention on violoncellos made in the first half of the 17th century. Up to that date in fact, the bass instruments of the violin family had been built with larger dimensions since the characteristics of the strings then in use, made of twisted animal gut, required considerable vibrating lengths to produce good low-pitched sounds. Thanks to an innovation perhaps introduced in Bologna halfway through the 17th century, which consisted of lining the gut string with a very thin wrapping of silver wire, it was possible to use shorter and thinner strings, without compromising the quality of the low sounds.

The new size rapidly caught on due to the greater agility of playing and handling and, thus, as well as beginning the construction of smaller instruments, the practice of reducing the bodies of the larger instruments, to make them somehow "up to date", also spread.

The bridge of this instrument is noteworthy. It is an ancient model in use up to the 18th century, with a much finer structure than modern ones and suitable for a considerably lighter pressure of the strings than that currently used.

Violoncello, 1667
Fabrizio Senta
(Torino, seconda metà XVII secolo)

Legno di abete rosso e acero
Lunghezza totale cm 126
Misure della cassa: lunghezza cm 78,1;
larghezza massima superiore cm 37,6;
larghezza minima al centro cm 26,1;
larghezza massima inferiore cm 46,3
Inv. Cherubini 1988/37

Questo strumento, del liutaio torinese Fabrizio Senta, proviene dalla collezione del Granprincipe Ferdinando. Esso ha conservato le grandi dimensioni della cassa, tipiche del XVII secolo, ma ha subito una parziale modifica durante la seconda metà del Settecento con l'inclinazione all'indietro del manico e la sostituzione della catena, un rinforzo di abete incollato sotto la tavola armonica in corrispondenza del piede sinistro del ponticello.

La costruzione di questo strumento segue una tecnica arcaica, generalmente abbandonata entro la prima metà del XVII secolo, in cui l'unione tra le fasce e il fondo è assicurata da strisce di tela incollate all'interno, anziché, come è tipico della costruzione classica, con sottili strisce di legno dette controfasce. Sempre secondo la tecnica arcaica il manico non è fissato a un blocchetto situato all'interno della cassa, ma prosegue sino a incastrarsi esso stesso tra le due fasce superiori.
Sul fondo, inoltre, in corrispondenza del centro dello strumento, si trova un tassello rotondo di legno diverso che chiude un foro, caratteristico di molti violoncelli italiani, destinato a un gancio a cui fissare una tracolla che aiutava il musicista a sorreggere lo strumento.

Violoncello, 1667
Fabrizio Senta
(Turin, second half of 17th century)

Spruce and maple wood
Total length 126 cm
Body measurements: length 78.1 cm;
maximum upper width 37.6 cm;
minimum centre width 26.1 cm;
maximum lower width 46.3 cm
Inv. Cherubini 1988/37

This instrument, by the Turin instrument-maker Fabrizio Senta, comes from the collection of the Grand Prince Ferdinando. It has kept the large dimensions of the body, which are typical of the 17th century, but underwent partial modification during the second half of the 18th century with an increase of the neck angle and substitution of the bass-bar, a spruce reinforcement glued under the soundboard at the level of the left foot of the bridge.

The making of this instrument follows an archaic technique, generally abandoned by the first half of the 17th century, in which the joining of the ribs and back is ensured by strips of cloth glued on the inside rather than, as is typical of classical construction, with thin strips of wood called lining strips. Again in accordance with the archaic technique, the neck is not fixed to a block inside the body, but is inserted directly between the two upper ribs.
On the back, corresponding to the centre of the instrument, we can find a round plug of different wood which closes a hole; this hole is characteristic of many Italian cellos and was designed for a hook to which a shoulder-belt was fixed in order to help the musician to hold the instrument.

Violoncello, 1696

Rocco Doni
(Firenze, notizie nell'ultimo
decennio del XVII secolo)

Legno di cipresso e acero
Lunghezza totale cm 126,5
Misure della cassa cm 80,7;
larghezza massima superiore cm 37,9;
larghezza minima al centro cm 26,2;
larghezza massima inferiore cm 47
Inv. Cherubini 1988/40

Questo violoncello, con la tavola armonica in legno di cipresso è firmato da Rocco Doni, sacerdote fiorentino della prima metà del XVII secolo. Di lui, a parte l'appartenenza al mondo religioso, non si sa quasi nulla, se si eccettua una notizia della fine dell'Ottocento secondo cui sarebbe stato parente del teorico musicale e letterato Giovan Battista Doni (1594-1647). L'uso del cipresso per la tavola armonica rende questo strumento abbastanza insolito. Tra il XVI e il XVII secolo, infatti, i materiali selezionati per la costruzione di strumenti ad arco si ri-

dussero fino a individuare nell'abete rosso, cresciuto in zone di montagna, il legno con le migliori caratteristiche sonore per la costruzione delle tavole armoniche degli strumenti di liuteria. Il cipresso, invece, per le sue caratteristiche di reperibilità, sonorità e resistenza, che ben si prestavano alla costruzione di tavole sottili e di grandi dimensioni, fu normalmente scelto dai costruttori per le tavole armoniche degli strumenti a tastiera italiani (clavicembali e spinette) sino a tutto il Settecento. Per la costruzione delle restanti parti della cassa (fondo e fasce), per il ponticello, per il manico e per il riccio degli strumenti di liuteria fu adottato solitamente l'acero, a causa delle sue caratteristiche di durezza, mentre per la tastiera, la cordiera e i piroli, ovvero le parti sottoposte a una sollecitazione meccanica più diretta ma meno influenti sulla sonorità, furono di norma adottati legni duri e, dalla fine del XVIII secolo, si diffuse invariabilmente l'uso dell'ebano.

Violoncello, 1696

Rocco Doni
(Florence, documented
in the last decade of 17th century)

Cypress and maple wood
Total length 126.5 cm
Body measurements: length 80.7 cm;
maximum upper width 37.9 cm;
minimum centre width 26.2 cm;
maximum lower width 47 cm
Inv. Cherubini 1988/40

This violoncello, with its belly in cypress is signed by Rocco Doni, a Florentine priest of the first half of the 17th century. Apart from his belonging to the religious world, almost nothing is known of him except for some evidence from the end of the 19th century according to which he was a relative of the musical theorist and man of letters Giovan Battista Doni (1594-1647). The use of cypress for the belly makes this instrument rather unusual. Between the 16th and 17th centuries the materials selected for the construction of string instruments

were settled, and spruce, grown in mountains areas, was identified as the wood having the best sound characteristics for the construction of the bellies of stringed instruments. Because of its characteristics of easy availability, sonority and resistance, which were well suited to the construction of thin boards of large dimensions, cypress was instead normally chosen by instrument-makers for the soundboards of Italian keyboard instruments (harpsichords and virginals) up to the end of the 18th century. For the construction of the remaining parts of the body (back and ribs), and of the bridge, neck and scroll of stringed instruments, maple was usually used for its characteristics of hardness. For the fingerboard, tailpiece and pegs, i.e. the parts submitted to a more direct mechanical stress but less influential on the sound, hard woods were normally used, and from the end of the 18th century onwards, the use of ebony invariably spread.

Salterio, fine XVII secolo

Michele Antonio Grandi, attr.
(Carrara 1635-1707)

Marmo statuario, bardiglio, broccatello giallo
Lunghezza lato anteriore della cassa cm 74,5;
lunghezza lato posteriore della cassa cm 44;
lunghezza lato obliquo cm 33,8
Inv. Cherubini 1988/88

Questo strumento rappresenta un pezzo unico nel suo genere in quanto è costituito in tutte le sue parti da qualità diverse di marmo: la tavola è ottenuta con una lastra di marmo statuario, bianco, proveniente da Carrara, in cui sono intagliate le due rosette; la cassa è in un solo pezzo di marmo bardiglio, di Carrara anch'esso, scavato e levigato, mentre i due somieri laterali – ovvero le parti a cui sono fissate le corde – sono di broccatello giallo. Sulla tavola sono tesi venti ordini di corde, di cui undici tripli e nove quadrupli, che permettono di ottenere una scala di sol maggiore da Sol2 a Mi5 con i semitoni cromatici tra Re3 e Do5 e che venivano pizzicati con plet-tri fissati alle dita o percossi con sottili martelletti. Lo strumento è anonimo e, anche se la sua prima apparizione negli inventari granducali risale solo al 1761, lo stemma e l'iscrizione presenti sulla cassa indicano che si tratta di un dono costruito per Cosimo III, padre del Granprincipe Ferdinando. Più precisamente è possibile ipotizzare che questo pezzo sia opera di Michele Antonio Grandi, di Carrara, noto per aver costruito alcuni strumenti, fra cui una chitarra e un clavicembalo, interamente in marmo, per la corte estense, presso cui lavorò fra il 1686 e il 1687. La coincidenza di epoca e di area geografica, oltre ai rapporti che intercorrevano tra le due corti, contribuisce a rendere plausibile l'attribuzione al medesimo costruttore. Anche se è probabile che questo strumento abbia avuto sin dall'inizio una funzione soprattutto decorativa, rispecchia comunque tutte le caratteristiche costruttive dei salteri tradizionali ed è funzionante a tutti gli effetti.

Salterio, end of 17th century
Michele Antonio Grandi, attrib.
(Carrara 1635-1707)

Statuary marble, bardiglio
and broccatello giallo
Length of front side 74.5 cm;
length of back side 44 cm;
length of slanting side 33.8 cm
Inv. Cherubini 1988/88

This instrument is a unique piece of its kind, in that it is made of different qualities of marble in all its parts. The soundboard is obtained with a slab of white statuary marble from Carrara, in which two soundholes are carved; the body is in a single piece of bardiglio marble, again from Carrara, scooped and polished, while the two blocks, where the strings are fixed, are in broccatello giallo. Over the soundboard are stretched twenty strings, eleven triple and nine quadruple, which allow a scale of G major from g to e''' with the chromatic semitones from d' to c''', which were plucked with plectra fixed to the fingers, or beated by tiny hammers. The instrument is anonymous and, even if its first appearance in the grand-ducal inventories goes back only to 1761, the coat-of-arms and inscription present on the box suggest that it was a gift constructed for Cosimo III, father of the Grand Prince Ferdinando. More precisely, it is possible to hypothesise that this piece is the work of Michele Antonio Grandi from Carrara, known for having built some instruments, including a guitar and a harpsichord, wholly in marble for the Este court where he worked between 1686 and 1687. The coincidence of epoch, geographical area, and the relations that existed between the two courts, all point to make attribution to the same maker plausible. Even if it is probable that this instrument had a mainly decorative function from the beginning, it, however, possesses the constructional characteristics of traditional dulcimers and is wholly functional.

43

Anton Domenico Gabbiani
(Firenze 1652-1726)
Il Granprincipe Ferdinando con i suoi musici, 1685 (?)

Firenze, Galleria Palatina
(in deposito temporaneo
presso la Galleria dell'Accademia)
Olio su tela, cm 139 x 221
Inv. 1890/2808

Nella loro biografia del Gabbiani, sia Ignazio Hugfort che Saverio Baldinucci ricordano che il pittore fiorentino aveva eseguito alcuni ritratti di musici per il Granprincipe Ferdinando; alcuni ritratti di musici e del granprincipe risultano pagati da Ferdinando al Gabbiani nel 1685 e altri, solo di musici, nel 1687, ma in realtà non ci sono elementi per stabilire con esattezza a quali quadri si faccia riferimento. Nell'inventario di Pratolino del 1748, infine, sono descritti cinque dipinti con musici, i primi quattro dei quali sono chiaramente identificabili con quelli a più

figure qui esposti. I tentativi, più volte intrapresi, di identificare tutti i personaggi raffigurati in questi davvero singolari "ritratti di gruppo" nella massima parte dei casi non sono attualmente sostenibili, perché non suffragati da valide testimonianze, quando non sono palesemente erronei. Citeremo perciò soltanto quelli che poggiano su confronti puntuali o considerazioni convincenti.

Nel presente dipinto, in piedi, in primo piano, è ben riconoscibile il principe stesso in atto di rivolgersi al cantante Vincenzo Oliviciani, alla sua sinistra, mentre alla sua destra compare dal fondo il busto di Alessandro Scarlatti. Nel 1702 Alessandro per circa sei mesi fu ospite di Ferdinando a Pratolino; con Ferdinando egli fu comunque assai a lungo in confidente amicizia, come testimonia il ricco epistolario intercorso fra i due. Numerosi lavori di questo illustre compositore furono

Anton Domenico Gabbiani
(Florence 1652-1726)

The Grand Prince Ferdinando with his musicians, 1685 (?)

Florence, Galleria Palatina
(on temporary loan
to the Galleria dell'Accademia)
Oil on canvas, 139 x 221 cm
Inv. 1890/2808

In their biography of Gabbiani, both Ignazio Hugfort and Saverio Baldinucci recall that the Florentine painter had painted some portraits of musicians for the Grand Prince Ferdinando. Some portraits of musicians and of the Grand Prince are documented as having been paid for by Ferdinando to Gabbiani in 1685 and others, of musicians only, in 1687. Nevertheless there is no actual evidence for establishing exactly which paintings are referred to. Finally, in the inventory of Pratolino of 1748, five paintings with musicians are described, the first four of which are clearly identifiable with those with several figures exhibited here.

The repeated attempts to identify all the personages portrayed in these really singular "group portraits" are not, in most cases, acceptable because they are not accompanied by any valid evidence when they are not clearly wrong. We will thus cite only those which are backed up by precise comparisons or convincing considerations.

In the present painting the Prince himself is easily recognisable standing in the foreground; he is addressing the singer Vincenzo Olivicciani on his left, while on his right the bust of Alessandro Scarlatti is seen. In 1702 for about six months Alessandro was the guest of the Grand Prince at Pratolino. He was in any case for a long time on friendly terms with Ferdinando, as is testified by the large body of correspondence between them. Numerous works of this illustrious composer were per-

rappresentati a Pratolino, dove ogni anno, a partire dal 1679, si mettevano in scena opere in musica con grande ricchezza di apparati, ambientandole nel salone del piano nobile e poi, dopo il 1697, nel teatrino appositamente costruito. Tornando a osservare i personaggi ritratti nel dipinto, sempre da destra verso sinistra si vede un giovane con chitarrone, che potrebbe essere Giovanbattista Gigli, compositore e liutista giunto proprio nel 1685 dalla corte estense di Modena, casato i cui rapporti con i Medici e con Ferdinando in particolare erano, in quel giro d'anni, assai intensi. Lo stesso personaggio è raffigurato in atto di suonare un mandolino al centro del dipinto seguente. Segue un personaggio a cui è dato un rilievo d'eccezione, sia per la sua collocazione privilegiata all'interno del gruppo, sia per il fatto che è l'unico a non suonare: ha infatti una lira da gamba appoggiata in terra alla sua destra e in mano tiene un violoncello con la quarta corda filata in argento, rivoluzionario sistema da poco introdotto per aumentare la sonorità dei toni più bassi mantenendo contenute le dimensioni dello strumento. Potrebbe trattarsi di Pietro Salvetti, maestro del Granprincipe nell'uso di vari strumenti ad arco, maestro di cappella nel 1683, nel 1689 e nel 1691, assistente di camera di Ferdinando, matematico e numismatico. Chiudono la composizione, a sinistra, altri due compositori, di cui il primo potrebbe forse essere Francesco Veracini, per confronto con il dipinto seguente.

formed at Pratolino, where each year from 1679 onwards operas were conducted with great display and pomp. They were set in the great hall of the first floor and then after 1697 in the specially-built theatre. Going back to observe the personages portrayed in the painting, moving again from right to left, we can see a young man with a chitarrone, who might be Giovanbattista Gigli, a composer and lutenist who had arrived precisely in 1685 from the Este court of Modena. A family whose relations with the Medici and with Grand Prince Ferdinando in particular, were in those years quite intense. The same personage is portrayed in the centre of the following painting while playing the mandolin. Next there is a personage who is given exceptional relief, both for his privileged placing inside the group, and for the fact that he is the only one not playing. He in fact has a lira da gamba resting on the ground to his right and in his hand he is holding a violoncello with the fourth string wrapped in silver, a revolutionary system which had only recently been introduced to increase the sound quality of the lowest tones with instruments of small dimensions.

This could be Pietro Salvetti, *maestro* of the Grand Prince in the use of the various stringed instruments, chapel-master in 1683, 1689 and 1691, Ferdinando's chamber attendant, mathematician and numismatist. On the right the composition is completed with another two composers, the first of whom might be Francesco Veracini from a comparison with the following painting.

Anton Domenico Gabbiani
(Firenze 1652-1726)

Musici del Granprincipe Ferdinando, 1685 (?)

Firenze, Galleria Palatina
(in deposito temporaneo
presso la Galleria dell'Accademia)
Olio su tela, cm 140 x 233
Inv. 1890/2805

Il secondo dipinto della serie dei musici del Granprincipe mostra sulla destra un quartetto d'archi, costituito da due violinisti, che potrebbero essere Antonio e Francesco Veracini, personaggi di alto spicco nel panorama fiorentino, affiancati da due suonatori di viola, evidentemente una tenore, di cui è ben visibile la grande taglia, e una contralto. Chiude il cerchio, a sinistra, un violoncellista. Possiamo quindi vedere, disposto in atto di far musica, un quintetto d'archi simile a quello costruito nel 1690 da Antonio Stradivari e donato al granprincipe (si veda scheda n. 7).
Al centro un musico suona il mandolino e un altro accompagna col cembalo, strumento di cui il granprincipe possedeva vari esemplari, tanto che nella reggia di Pitti esisteva anche un'apposita stanza detta "camera dei cimbali", ricordata dai documenti, ma oggi del tutto trasformata.

Anton Domenico Gabbiani
(Florence 1652-1726)

Musicians of the Grand Prince Ferdinando, 1685 (?)

Florence, Galleria Palatina
(on temporary loan
to the Galleria dell'Accademia)
Oil on canvas, 140 x 233 cm
Inv. 1890/2805

The second painting in the series of musicians of the Grand Prince shows on the right a string quartet made up of two violinists who could be Antonio and Francesco Veracini, two important personages on the Florentine scene; beside them are two players of violas,

evidently a tenor, whose large form is clearly visible, and an alto. The circle is completed on the left by a cellist. We can thus see a string quintet similar to that constructed in 1690 by Antonio Stradivari and donated to the Grand Prince, in the act of music-making (see sheet no. 7). In the centre a musician plays a mandolin and another accompanies him with the harpsichord, an instrument of which the Grand Prince possessed numerous examples, to the extent that there was a special room in the Pitti court called the "harpsichord room", mentioned in the documents but today completely transformed.

a

Quintetto "mediceo", 1690
Antonio Stradivari
(Cremona 1645 ca.-1737)

a. Viola tenore

Legno di abete rosso e acero
Lunghezza totale cm 75,5
Misure della cassa: lunghezza cm 47,8;
larghezza massima superiore cm 21,8;
larghezza minima al centro cm 15,2;
larghezza massima inferiore cm 27,1
Inv. Cherubini 1988/15

b. Violoncello

Legno di abete rosso e acero
Lunghezza totale cm 127,7
Misure della cassa: lunghezza cm 79,2;
larghezza massima superiore cm 36,5;
larghezza minima al centro cm 25,5;
larghezza massima inferiore cm 46,7
Inv. Cherubini 1988/34

b

"Medici" Quintet, 1690
Antonio Stradivari
(Cremona 1645 c.-1737)

a. Tenor Viola

Spruce and maple wood
Total length 75.5 cm
Body measurements: length 47.8 cm;
maximum upper width 21.8 cm;
minimum centre width 15.2 cm;
maximum lower width 27.1 cm
Inv. Cherubini 1988/15

b. Violoncello

Spruce and maple wood
Total length 127.7 cm
Body measurements: length 79.2 cm;
maximum upper width 36.5 cm;
minimum centre width 25.5 cm;
maximum lower width 46.7 cm
Inv. Cherubini 1988/34

Il violino, le due viole (contralto e tenore) e il violoncello costruiti da Antonio Stradivari e datati 1690, furono probabilmente commissionati nel 1684 dal nobile cremonese Bartolomeo Ariberti per farne dono al Granprincipe Ferdinando de' Medici e facevano parte in origine di un quintetto del quale il secondo violino è andato perduto alla fine del XVIII secolo. Per la realizzazione degli strumenti furono scelti materiali di eccezionale qualità tanto estetica quanto acustica e la ricercatezza delle decorazioni e degli intarsi in madreperla, ancora visibili solo sulla viola tenore, erano all'altezza di un dono principesco. Le forme in legno e i modelli disegnati su carta dallo stesso Stradivari per la costruzione delle due viole e per la realizzazione degli intarsi sono ancora conservati a Cremona.

Del suono del quintetto si legge, in una lettera del 1690, che «tutti i virtuosi [della corte granducale] [...] sono dello stesso sentimento d'approvarli come perfetti, ma soprattutto parlando del violoncello confessano francamente non aver inteso il più grato, e più sonoro insieme».

Il violino e la viola contralto furono sottratti dalla collezione granducale alla fine del XVIII secolo.

Il violino, con il fondo in un solo pezzo di acero, fu venduto dal primo violinista della corte a un irlandese, nel 1784, e fu ammodernato dal liutaio parigino Jean Baptiste Villaume nel 1847, mentre la viola contralto, scomparsa dalla corte nel 1776, fu venduta a una ditta londinese intorno al 1793.

La viola tenore e il violoncello, al contrario, rimasero alla corte sino al 1863 e furono probabilmente utilizzati entrambi con estrema parsimonia, come indica lo straordinario

---

The violin, the two violas (alto and tenor) and the violoncello made by Antonio Stradivari and dated 1690, were commissioned in 1684 by the Cremona nobleman Bartolomeo Ariberti as a gift to the Grand Prince Ferdinando de' Medici. They were originally part of a quintet whose second violin was lost at the end of the 18th century. For the making of the instruments, materials of exceptional aesthetic and acoustic quality were chosen and the sophistication of the decorations and mother-of-pearl inlays, which are still visible on the tenor viola, were worthy of a gift for a prince. The wooden moulds and the models drawn on paper by Stradivari himself for the construction of the two violas and the inlays are still kept in Cremona.

Of the sound of the quintet we read in a letter of 1690 that «all the *virtuosi* [of the grand-ducal court] [...] are of the same mind in approving them as perfect, but above all speaking of the violoncello they frankly confess they have never heard a more pleasing or more sonorous one».

The violin and the alto viola were removed from the grand-ducal collection at the end of the 18th century.

The violin, whose back is a single piece of maple, was sold by the first violinist of the court to an Irishman in 1784, and was modernised by the Parisian instrument-maker Jean Baptiste Villaume in 1847, while the alto viola, which disappeared from the court in 1776, was sold to a London firm around 1793.

The tenor viola and the violoncello on the other hand stayed in the court until 1863 and, as the extraordinary state of conservation indicates, were probably both used very sparingly. They thus seem to have been the only instruments in the collection to have provoked a real collector's interest already in the 18thcentury. The tenor viola in particular is the only instrument by Anto-

a Viola tenore/Tenor Viola

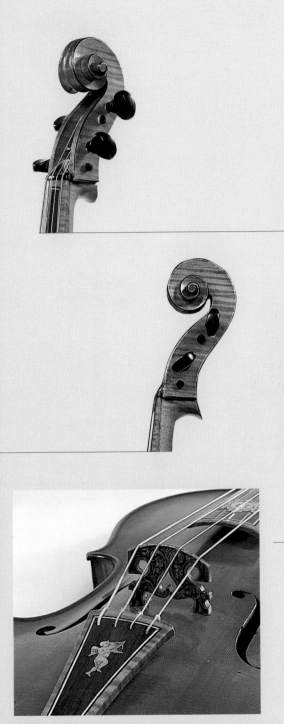

stato di conservazione. Sembrano essere stati, quindi, gli unici strumenti della collezione ad aver destato un vero e proprio interesse collezionistico già dal XVIII secolo.

La viola tenore, in particolare, costituisce l'unico strumento di Antonio Stradivari che abbia conservato in ogni sua parte la struttura e l'aspetto originali, compreso il ponticello, parte mobile per eccellenza in quanto solo appoggiata alla tavola armonica, decorato a inchiostro dallo stesso Stradivari.

Il violoncello, invece, fu sottoposto nel 1877 a un intervento di ammodernamento da parte del liutaio Giuseppe Scarampella: fu aumentata l'angolazione del manico e fu sostituita la catena con una più robusta. Le proporzioni della cassa sono rimaste, invece, quelle originali, e contribuiscono a rendere unico il violoncello del quintetto.

nio Stradivari which has kept every part of its structure and its original appearance, including the bridge (a moveable part in that it only rests against the belly) decorated in ink by Stradivari himself.

The violoncello was instead submitted in 1877 to a modernising intervention by the instrument-maker Giuseppe Scarampella; the neck angle was increased and the bass-bar was substituted with a stronger one. The proportions of the body have instead remained the original ones and contribute to making the violoncello of the quintet a unique piece.

Contrabbasso,
metà XVIII secolo
Anonimo

Legno di abete rosso e acero
Lunghezza totale cm 164
Misure della cassa: lunghezza cm 99,5;
larghezza massima superiore cm 43,2;
larghezza minima al centro cm 31,8;
larghezza massima inferiore cm 58
Inv. Cherubini 1988/45

Questo piccolo contrabbasso a tre corde, che compare per la prima volta negli inventari granducali nel 1819, dopo la restaurazione lorenese, fu attribuito alla scuola bolognese a metà dell'Ottocento e, più tardi, a un membro della famiglia Amati. Nessuna di queste attribuzioni è stata confermata dagli studi più recenti. Si tratta comunque di un contrabbasso italiano di modello picco-lo, probabilmente risalente alla metà del XVIII secolo.

Diversamente da quanto accadde per violini, viole e violoncelli, la cui forma e dimensione si stabilizzò definitivamente alla fine del XVII secolo, il contrabbasso non ha mai raggiunto una forma e un modello normalizzati e se ne incontrano, ancora oggi, di dimensioni alquanto diverse, con fondo bombato, come quello del violoncello, o piatto, come in questo caso, e con profili estremamente variabili. Anche il numero di corde è oscillato sino a tempi molto recenti. Questo esemplare, originariamente montato con quattro corde, fu trasformato, probabilmente alla fine del Settecento, in un modello a tre corde, restato poi quello tipico in Italia per tutto l'Ottocento.

Double bass,
mid-18th century
Anonymous

Spruce and maple wood
Total length 164 cm
Body measurements: length 99.5 cm;
maximum upper width 43.2 cm;
minimum centre width 31.8 cm;
maximum lower width 58 cm
Inv. Cherubini 1988/45

This small three-string double bass, which appears for the first time in the grand-ducal inventories in 1819 after the Lorraine Restoration, was attributed to the Bolognese school in the mid-19th century and later to a member of the Amati family. Neither of these attributions has been confirmed by the most recent studies. It is however a small model of an Italian double bass, which probably dates back to the mid-18th century.

Unlike what happened to violins, violas and violoncellos, whose form and size definitively stabilised at the end of the 17th century, the double bass never achieved a normalised form and model. Even today we find examples of quite different sizes, with rounded backs like the violoncello or flat ones as in this case, and with extremely variable profiles. Even the number of strings has oscillated until very recent times. This example, originally strung with four chords, was transformed, probably at the end of the 18th century, into a three-string model, which remained tipical in Italy for all the 19th century.

Contrabbasso, 1715

Bartolomeo Cristofori (?)
(Padova 1655-Firenze 1732)

Legno di abete rosso e acero
Lunghezza totale cm 207,5
Misure della cassa: lunghezza cm 126,5;
larghezza massima superiore cm 53,9;
larghezza minima al centro cm 37,4;
larghezza massima inferiore cm 69
Inv. Cherubini 1988/41

Questo contrabbasso, di dimensioni considerevolmente superiori all'usuale, compare per la prima volta in un inventario lorenese del 1819 con l'attribuzione a Bartolomeo Cristofori, inventore del pianoforte. All'interno della cassa, sul fondo, è tracciato a penna «Bartolomeo Cristofori in Firenze. 1715. Primo». L'esame stilistico ha confermato, in tempi recenti, la somiglianza con altri strumenti attribuiti al cembalaro padovano e, se l'attribuzione fosse confermata da ulteriori studi, si tratterebbe del più antico strumento ad arco da lui costruito di cui si abbia notizia. Dalle ricerche condotte sul costruttore, d'altra parte, non è ancora emerso alcun documento attendibile che ne avalli l'attività liutaria e negli inventari antichi delle collezioni granducali, dei cui strumenti musicali fu conservatore dal 1716 al 1732, non compare alcuno strumento ad arco a lui attribuito. Un altro contrabbasso, che sarebbe stato costruito l'anno successivo ed è dubitativamente riferito al costruttore padovano, è attualmente conservato al Metropolitan Museum di New York. Questo strumento fu modificato nel 1901 dal liutaio fiorentino Valentino de Zorzi, che aggiunse una quinta corda alle precedenti dovendo, tra l'altro, modificare la testa del manico per ricavare lo spazio necessario al nuovo assetto.

Double bass, 1715

Bartolomeo Cristofori (?)
(Padua 1655-Florence 1732)

Spruce and maple wood
Total length 207.5 cm
Body measurements: length 126.5 cm;
maximum upper width 53.9 cm;
minimum centre width 37.4 cm;
maximum lower width 69 cm
Inv. Cherubini 1988/41

This double bass, of considerably larger dimensions than usual, appears for the first time in a Lorraine inventory of 1819 with the attribution to Bartolomeo Cristofori, inventor of the pianoforte. Inside the body, on the back, is written in pen «Bartolomeo Cristofori in Firenze. 1715. Primo». The stylistic examination has in recent times confirmed the resemblance to other instruments attributed to the Paduan harpsichord-maker and, if the attribution were to be confirmed by further studies, it would be the oldest bowed instrument built by him of which we know. However, from the research conducted on the maker no reliable evidence has yet emerged to confirm his activity as violin-maker. Additionally in the ancient inventories of the grand-ducal collections of whose musical instruments he was the conservator from 1716 to 1732, no bowed instrument attributed to him appears. Another double bass which was made the following year and is doubtfully attributed to the Paduan maker, is now conserved in the Metropolitan Museum in New York.
This instrument was modified in 1901 by the Florentine violin-maker Valentino de Zorzi, who added a fifth string to the previous four, needing to modify the head of the neck to create the necessary space for the new arrangement.

Violino, 1716

Antonio Stradivari
(Cremona 1645 ca.-1737)

Legno di abete rosso e acero
Lunghezza totale cm 59,7
Misure della cassa: lunghezza cm 35,8;
larghezza massima superiore cm 16,8;
larghezza minima al centro cm 11,2;
larghezza massima inferiore cm 20,8
Inv. Cherubini 1988/3

Questo violino, costruito da Antonio Stradivari nel 1716, appartiene a uno dei periodi migliori della produzione del maestro. Gli esperti sono concordi nel confermarne l'autenticità, ed è considerato, insieme all'altro violino stradivariano dello stesso anno, il "Messia", uno degli strumenti più belli di questo perio-do. Lo strumento entrò a far parte della collezione granducale dopo la Restaurazione lorenese (1814), e ne sono del tutte ignote le vicende precedenti tale data. La veridicità dell'attribuzione è stata a volte messa in discussione, soprattutto a causa del colore rosso della vernice, a partire dalla seconda metà dell'Ottocento da liutai che lo ritenevano una copia di scuola francese. Diverse commissioni di esperti, comunque, riunite per pronunciarsi sull'argomento, hanno sempre smentito tali dubbi riconoscendovi indiscutibilmente i tratti stilistici del maestro cremonese ed escludendo la possibilità che possa trattarsi di una contraffazione.

Violin, 1716

Antonio Stradivari
(Cremona 1645 c.-1737)

Spruce and maple wood
Total length 59.7 cm
Body measurements: length 35.8 cm;
maximum upper width 16.8 cm;
minimum centre width 11.2 cm;
maximum lower width 20.8 cm
Inv. Cherubini 1988/3

This violin, constructed by Antonio Stradivari in 1716, belongs to one of the *maestro*'s best periods of production. Experts agree in confirming its authenticity, and it is considered, with the other Stradivari violin of the same year, the "Messiah", one of the most beautiful instruments of this period. The instrument entered the grand-ducal collection after the Lorraine Restoration (1814), and its history before this date is wholly unknown. The truth of the attribution has sometimes been questioned since the second half of the 19th century, above all because of the red colour of the varnish, by instrument-makers who retained it to be a copy by the French school. Various commissions of experts who have met to pronounce on the matter, have however always wavered such doubts, irrefutably acknowledging the elements of style of the Cremona *maestro* and ruling out the possibility that it may be a fake.

Violino,
seconda metà XVII secolo
Antonio Casini, attr.
(Modena ? 1615 ca.-1690)

Legno di abete rosso e acero
Lunghezza totale cm 58,7
Misure della cassa: lunghezza cm 34,8;
larghezza massima superiore cm 16;
larghezza minima al centro cm 10,9;
larghezza massima inferiore cm 20
Inv. Cherubini 1988/2

Questo strumento è elencato negli inventari degli strumenti granducali a partire dal 1819 come violino di Nicolò Amati. L'attribuzione, suffragata dal falso cartiglio incollato all'interno della cassa, è stata in realtà abbandonata in seguito a studi più recenti, in favore del liutaio modenese Antonio Casini, attivo tra la prima e la seconda metà del XVII secolo e noto per alcuni violini, viole e violoncelli, ispirati al modello di Amati. La sostituzione dei cartigli originali con altri di liutai più celebri è sempre stata una pratica ricorrente.

Violin,
second half of 17th century
Antonio Casini, attrib.
(Modena ? 1615 c.-1690)

Spruce and maple wood
Total length 58.7 cm
Body measurements: length 34.8 cm;
maximum upper width 16 cm;
minimum centre width 10.9 cm;
maximum lower width 20 cm
Inv. Cherubini 1988/2

This instrument is listed in the inventories of the grand-ducal instruments from 1819 onwards as a violin by Nicolò Amati. The attribution, backed up by the false label glued on the inside of the body, has actually been abandoned following more recent studies in favour of the Modena instrument-maker Antonio Casini, who was active between the first and second half of the 17th century and is known for some violins, violas and violoncellos inspired by Amati's model. The substitution of the original labels has always been a common practice.

Violino, metà XVIII secolo
Scuola liutaria padana

Legno di abete rosso e acero
Lunghezza totale cm 58
Misure della cassa: lunghezza cm 35,1;
larghezza massima superiore cm 16,1;
larghezza minima al centro cm 10,9;
larghezza massima inferiore cm 20
Inv. Cherubini 1988/1

Questo strumento, che sembra entrare a far parte della collezione granducale nel primo decennio del XIX secolo, è stato attribuito sino a tempi alquanto recenti al liutaio cremonese Francesco Ruggeri, contemporaneo di Antonio Stradivari. Studi recenti hanno spinto, però, ad abbandonare questa attribuzione. Si tratta comunque di uno strumento di ottima qualità, con la tavola armonica costruita con l'ausilio di due alette laterali necessarie per ottenere una sufficiente larghezza nella parte inferiore, come si trova, spesso, in strumenti di dimensioni decisamente maggiori come i violoncelli.

Violin, mid-18th century
Northern Italian School

Spruce and maple wood
Total length 58 cm
Body measurements: length 35.1 cm;
maximum upper width 16.1 cm;
minimum centre width 10.9 cm;
maximum lower width 20 cm
Inv. Cherubini 1988/1

This instrument, which seems to have entered the grand-ducal collection in the first decade of the 19th century, has until quite recent times been attributed to the Cremona violin-maker Francesco Ruggeri, pupil of Nicolò Amati and contemporary of Antonio Stradivari. Recent studies have confuted this attribution. It is however an instrument of excellent quality.
Its belly is peculiarly constructed with the help of two extra lateral pieces in order to obtain sufficient width in the lower part, as is often found in instruments of decidedly larger dimensions like violoncellos.

I Medici
e Bartolomeo
Cristofori

The Medicis
and Bartolomeo
Cristofori

Gli strumenti raccolti in questa sala sono una testimonianza dello sperimentalismo che caratterizzò la costruzione di strumenti a tastiera a Firenze tra la fine del XVII e l'inizio del XVIII secolo e che portò, come conseguenza più duratura, all'invenzione del pianoforte da parte di un costruttore padovano, Bartolomeo Cristofori, chiamato in Toscana dal Granprincipe Ferdinando de' Medici nel 1688.

Nell'inventario degli strumenti di proprietà di Ferdinando stilato nel 1700, compaiono sette strumenti di Cristofori, cinque dei quali frutto di sperimentazioni più o meno ardite nella scelta dei materiali, nella forma, nella meccanica o nella sonorità. Se non tutte le invenzioni, come è naturale, ebbero un seguito duraturo, quella di uno strumento a tastiera le cui corde fossero percosse da martelletti che permettevano di ottenere suoni "piano e forte", anziché essere pizzicate da penne come nel clavicembalo e nella spinetta, fu probabilmente una di quelle che più, nella storia, influenzarono lo sviluppo della tradizione musicale occidentale.

The instruments gathered in this room bear witness to the experimentalism which characterised the construction of keyboard instruments in Florence between the end of the 17th and the beginning of the 18th centuries which led as a more lasting consequence to the invention of the pianoforte by a Paduan instrument-maker, Bartolomeo Cristofori, called to Tuscany by the Grand Prince Ferdinando de' Medici in 1688.

In the inventory of the instruments owned by Ferdinando which was compiled in 1700, seven instruments by Cristofori appear; five of these are the fruit of more or less bold experimentations in the choice of materials, in the shape, in the mechanics and in the sound quality. If not all inventions had a lasting impact, as is natural, that of a keyboard instrument whose strings were struck by hammers which enabled one to obtain "piano and forte" sounds rather than being plucked by quills as with the harpsichord or spinet, was probably one of those which most influenced the development of western traditional music.

Clavicembalo, ante 1700

Bartolomeo Cristofori
(Padova 1655-Firenze 1732)

Legno di ebano e cipresso, avorio
Lunghezza cm 249,5; larghezza cm 82;
altezza delle fasce cm 18,4
Estensione: Sol0, La0-Re5
Inv. Cherubini 1988/101

Questo strumento non è firmato in alcuna sua parte, ma è stato con sicurezza attribuito a Bartolomeo Cristofori in quanto corrisponde a una dettagliata registrazione inventariale dell'anno 1700, in cui si descrive, fra gli strumenti del Granprincipe Ferdinando, un cembalo del costruttore padovano interamente di ebano. La difficoltà costruttiva determinata dalla scelta di questo legno e l'unicità, per quanto attualmente noto, del suo utilizzo in uno strumento di simili dimensioni, contribuiscono a rafforzare l'attribuzione. Alcune modifiche, tra cui la sostituzione delle gambe e l'aggiunta dei due tasti acuti per Do#5 e Re5, sono state ricondotte a Giuseppe Ferrini, figlio dell'unico assistente certo di Cristofori.
Le rotture che attraversano la tavola armonica e la situazione generale dello strumento ne rendono impossibile l'uso musicale senza ricorrere a interventi di portata tale da travisarne completamente la natura. Lo strumento resta, nondimeno, una preziosa testimonianza dell'attività del costruttore e un modello attendibile per la costruzione di copie.

Harpsichord, ante 1700

Bartolomeo Cristofori
(Padua 1655-Florence 1732)

Ebony and cypress, ivory
Case length 249.5 cm;
width 82 cm;
height of sides 18.4 cm
Compass: G', A'-d'''
Inv. Cherubini 1988/101

This instrument is not signed in any part, but has been attributed with certainty to Bartolomeo Cristofori as it corresponds to a detailed inventory entry of the year 1700 which describes a harpsichord wholly in ebony by this maker among the instruments of the Grand Prince Ferdinando. The difficulty of construction implied in the choice of this wood and the uniqueness, as far as is currently known, of its use in an instrument of such size, contribute to reinforcing the attribution. Some modifications, including substitution of the legs and the addition of two acute keys c#''' and d''', have been attributed to Giuseppe Ferrini, the son of Cristofori's assistant and successor.
The cracks across the soundboard and the general condition of the instrument make its musical use impossible without resorting to interventions which would be so drastic as to change its nature completely. Nonetheless, the instrument is a precious testimony to the activity of the instrument-maker and a reliable model for the construction of copies.

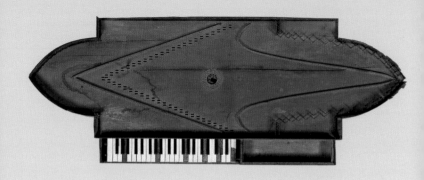

Spinetta ovale, 1690

Bartolomeo Cristofori
(Padova 1655-Firenze 1732)

Legno di palissandro e cipresso, avorio
Misure della cassa:
larghezza cm 183,8;
profondità cm 56,4;
altezza delle fasce cm 17,1
Estensione: Do1/Mi1-Do5
Inv. Eredità Bardini n. 3376

La più antica e forse la più attraente delle invenzioni cristoforiane oggi note risale agli anni Novanta del XVII secolo e consiste in questo modello di spinetta, la cui cassa rettangolare si estende ai lati in due archi a sesto acuto. Le corde sono disposte simmetricamente sulla tavola in posizione parallela alla tastiera in modo che le più lunghe, per le note gravi, si trovano al centro, mentre le altre si alternano, accanto a queste, degradando. La meccanica della tastiera è resa alquanto complessa dai problemi derivanti da questa disposizione delle corde, che ha però il vantaggio di distribuire in maniera più equilibrata la tensione sulla tavola. Un dispositivo che si aziona spostando la tastiera, inoltre, permette di pizzicare, con la pressione di ciascun tasto, due corde accordate sulla stessa nota raddoppiando così l'intensità dei suoni prodotti. In questo modo viene applicata a uno strumento di piccole dimensioni una soluzione, quella dell'accoppiamento dei registri, che è invece consueta nei clavicembali, che hanno però dimensioni alquanto maggiori.

Lo strumento qui esposto è anche in assoluto il primo realizzato da Cristofori per la Corte medicea; è descritto nell'inventario degli strumenti appartenuti al Granprincipe Ferdinando nel 1700 ed è stato individuato nel Duemila tra gli oggetti provenienti dall'eredità di Stefano Bardini, noto antiquario e collezionista fiorentino, dopo che per trecento anni se ne erano perse le tracce. Lo strumento non ha mai subito interventi di trasformazione o restauro e costituisce quindi una fonte inestimabile di informazioni sul lavoro del costruttore. Un secondo strumento con la stessa forma e caratteristiche simili, costruito tre anni più tardi in cipresso con intarsi d'ebano, è conservato a Lipsia in seguito alla vendita all'estero di una delle più grandi collezioni fiorentine del secondo Ottocento di strumenti musicali, quella di Alessandro Kraus jr., avvenuta nel primo decennio del XX secolo.

Oval spinet, 1690
Bartolomeo Cristofori
(Padua 1655-Florence 1732)

Rosewood and cypress, ivory
Case measurements:
width 183.8 cm;
depth 56.4 cm.;
height of sides 17.1 cm
Compass: C/E-c'''
Inv. Eredità Bardini no. 3376

The oldest and perhaps most beautiful of Cristofori's inventions known today dates back to the 1690's; it is this model of a spinet, whose rectangular case extends sideways in two Gothic arches.

Its strings are arranged symmetrically on the soundboard parallel to the keyboard so that the longest ones, for the low notes, are in the centre while the others alternate along their side in descending order. The mechanics of the keyboard is rendered rather complex by the problems deriving from this string arrangement, which however has the advantage of distributing the tension on the soundboard in a more balanced way. A device activated by moving the keyboard moreover allows, with the pressure of each key, the plucking of two strings tuned on the same note, thus doubling the intensity of the sound produced. In this way a solution, that of the coupling of registers, is applied to a small-size instrument, a solution which is usual in harpsichords which have rather larger dimensions.

The instrument shown here is the very first one made by Cristofori for the Medicean Court. It is described in the inventory of instruments belonging to Grand Prince Ferdinand in 1700, and was identified in 2000 among the objects coming from the estate of Stefano Bardini, a well-known Florentine antique dealer and collector, after its traces had been lost for three hundred years. The instrument has never undergone any restoral interventions and thus constitutes an inestimable source of information on the maker's work.

A second instrument with the same shape and similar features, built three years later in cypress with ebony inlays, is kept in Leipzig. This is due to the sale abroad of one of the largest Florentine collections of the second half of the 19th century of musical instruments, that of Alessandro Kraus jr., which took place in the first decade of the 20th century.

69

Meccanica di pianoforte, post 1722

Bartolomeo Cristofori, attr. (?)
(Padova 1655-Firenze 1732)

Legno di castagno e bosso,
cartone, pelle
Larghezza cm 80,7;
profondità cm 40,2;
altezza cm 14,5
Estensione Do1-Do5
Inv. Collezione Kraus n. 1

La presente meccanica di pianofor-te proviene dalla collezione del ba-rone Alessandro Kraus che la indi-viduò in un rudere di pianoforte trovato in un fienile e la attribuì a Cristofori, affidandola quindi alle cure e al restauro di Cesare Ponsic-chi. Sull'attribuzione avanzata da Alessandro Kraus esistono oggi molti motivati dubbi. Si tratta, co-munque, di una meccanica del tipo che si ritrova su due dei tre pia-noforti di Cristofori ancora conser-vati: quello del 1722, ora al del Mu-seo nazionale degli strumenti mu-sicali di Roma, e il più tardo, del 1726, ora a Lipsia.

Pianoforte action, post 1722

Bartolomeo Cristofori, attrib. (?)
(Padua 1655-Florence 1732)

Chestnut and boxwood,
cardboard, leather
Width 80.7 cm;
depth 40.2 cm;
height 14.5 cm
Compass: C-c'''

Kraus collection Inv. No. 1

This pianoforte action comes from the collection of Baron Alessandro Kraus who identified it in the ruins of an instrument found in a barn and attributed it to Cristofori, then entrusting it to the care and restoration of Cesare Ponsicchi.
There are today many doubts about the attribution proposed by Alessandro Kraus. This is however an action of the type which is found on two of the three Cristofori pianos still preserved today: the 1722 one, now at the Museo Nazionale degli Strumenti Musicali of Rome, and the later 1726 one, now in Leipzig.

Copie di strumenti di Bartolomeo Cristofori (Spinetta ovale, 1690; Cembalo d'ebano)

Kerstin Schwarz e Tony Chinnery
(Vicchio, Firenze, 2001)

Molti degli strumenti esposti in questo museo tramandano un inestimabile patrimonio di informazioni storiche che verrebbe distrutto o compromesso se si procedesse agli interventi di restauro necessari a renderli nuovamente suonabili. Per questa ragione, almeno nel caso degli strumenti a tastiera, si è preferito invece procedere alla realizzazione di copie accurate che possano essere utilizzate facilmente per le attività didattiche e concertistiche del museo.

La realizzazione delle copie è stata il risultato di anni di studi e di indagini scientifiche sugli originali e ha permesso in molti casi una migliore comprensione del loro funzionamento.

In particolare sono qui esposte la copia della *Spinetta ovale* di Bartolomeo Cristofori del 1690 e quella del *Cembalo d'ebano* dello stesso costruttore, entrambe realizzate da Kerstin Schwarz in collaborazione con Tony Chinnery. Accanto ad esse si trova una copia del *Pianoforte* costruito da Cristofori nel 1726 – uno dei primi pianoforti mai costruiti – il cui originale è custodito al Grassi Museum di Lipsia.

Replicas of instruments by Bartolomeo Cristofori (Oval spinet, 1690; Ebony harpsichord)

Kerstin Schwarz and Tony Chinnery
(Vicchio, Province of Florence, 2001)

Many of the instruments displayed in this museum contain a priceless heritage of historical information that would be lost or severely impaired should they be subjected to the restoration needed to make them playable again. For this reason it has been decided, at least as regards the keyboard instruments, to have accurate replicas made, suitable for utilisation in the museum's educational activities and concerts. The replicas have been built after years of study and scientific investigation of the originals, which has in many cases provided a better understanding of their operation.

Outstanding among the replicas displayed here are the *Oval spinet* made by Bartolomeo Cristofori in 1690 and the *Ebony harpsichord* by the same instrument-maker, both built by Kerstin Schwarz in collaboration with Tony Chinnery. Beside them is a replica of the *Pianoforte* made by Cristofori in 1726 – one of the first of these instruments ever constructed – the original of which is found in the Grassi Museum in Leipzig.

Pianoforte verticale, 1739

Domenico del Mela
(Gagliano del Mugello 1683?-ante 1772)

Legno di conifera, cipresso e bosso
Altezza complessiva cm 273;
altezza senza gambe cm 202;
larghezza cm 93; profondità cm 64
Estensione: Do1/Mi1-Do5
Inv. Cherubini 1988/110

Il presente pianoforte verticale, la cui forma insolita sarebbe poi stata ripresa dai pianoforti "a giraffa" diffusi in Francia in epoca napoleonica, costituisce uno dei più antichi tentativi di adottare una soluzione che, disponendo in verticale le corde del pianoforte, ne riducesse l'ingombro. Soluzioni simili erano già state applicate ai clavicembali sin dalla prima metà del XVII secolo e nell'inventario degli strumenti musicali del granprincipe Ferdinando del 1700 compariva un «cimbalo in piedi, o sia ritto» di Bartolomeo Cristofori. Era quindi naturale che se ne tentasse l'applicazione al nuovo pianoforte.

Lo strumento è firmato da Domenico del Mela e fu costruito a Gagliano, nel Mugello, nel 1739. Alcune notizie fanno sospettare che il costruttore sia stato assistente di Bartolomeo Cristofori, assieme al più celebre Giovanni Ferrini, e questo corrisponderebbe alla notizia che ne individua la nascita nel 1683. Si tratta, in entrambi i casi, di ipotesi sulle quali sono aperti gli studi.

Lo strumento era ancora di proprietà della famiglia Del Mela nel 1928, quando fu acquistato dal Ministero della Pubblica Istruzione per il museo del Conservatorio di Firenze.

Upright piano, 1739

Domenico del Mela
(Gagliano del Mugello 1683?-ante 1772)

Coniferous wood, cypress and boxwood
Overall height 273 cm;
height without legs 202 cm;
width 93 cm; depth 64 cm
Compass: C/E-c'''
Inv. Cherubini 1988/110

This upright pianoforte whose unusual shape was later to be found in the "giraffe" pianofortes which spread in France in the Napoleonic era, is one of the oldest attempts to adopt a solution which was intended to reduce the cumbersome nature of the piano by arranging its strings vertically. Similar solutions had already been applied to harpsichords since the first half of the 17th century and in the 1700 inventory of the musical instruments of the Grand Prince Ferdinando a «standing, or upright harpsichord» by Bartolomeo Cristofori appeared. It was thus natural that its application to the new pianoforte should be attempted.

The instrument is signed by Domenico del Mela and was built in Gagliano in the Mugello area, in 1739. Some evidence leads us to suspect that he was Bartolomeo Cristofori's assistant with the more famous Giovanni Ferrini, and this would correspond to sources which identify his birth as being in 1683. In both cases, they are hypotheses which are still under study.

The instrument was still owned by the Del Mela family in 1928, when it was purchased by the Ministry of Education for the Conservatory museum in Florence.

a

a. Imitatore di Baschenis
Natura morta con tendaggio, cassetta, libri, frutto, globo terrestre, chitarra battente, violino, violoncello con archetto, liuto, mandola, flauto dolce, ultimo quarto XVII secolo

Firenze, Galleria Palatina
(in deposito temporaneo
presso la Galleria dell'Accademia)
Olio su tela, cm 105 x 148
Inv. 1890/5781

b. Bartolomeo Bimbi
(Settignano 1648-Firenze 1726)
Natura morta con liuto, viola con archetto, foglio con notazioni musicali, stipo, cassettine, arancia, chitarrino, tromba, violino, flauto, libri, sfera armillare, chitarra, tappeto turco, tendaggio, *ante* 1702

Firenze, Galleria Palatina
(in deposito temporaneo
presso la Galleria dell'Accademia)
Olio su tela, cm 51 x 66
Inv. 1890/5801

Fra i quadri posseduti dal Granprincipe Ferdinando figuravano, secondo quanto si legge negli inventari, due nature morte di Evaristo Baschenis con strumenti musicali. Di queste ne rimane oggi una sola, che non è riconosciuta dalla critica come autografa del bergamasco, ma di un ignoto imitatore. Il libro, che compare appoggiato sul piano, è del vicentino Alfonso Loschi, autore dei *Compendi storici* edito nel 1655. Del secondo dipinto, oggi scomparso, rimane una copia in piccolo fatta da Bartolomeo Bimbi, il pittore di nature morte preferito alla corte medicea all'epoca di Cosimo III e amato anche da Ferdinando. Questo genere di quadri, assai piacevoli alla vista, mescolavano, accostandoli con sapiente fantasia, oggetti diversi, tutti allusivi ai piaceri o agli interessi mondani (oltre agli strumenti musicali compaiono strumenti scientifici, libri, vari tipi di cibo, tazze, brocche o piatti, specchi, gioielli); l'esuberante bellezza delle composizioni nasconde o quantomeno mitiga la presenza di richiami al passare del tempo (la clessidra o l'orologio) o alla morte (la frutta marcia, la corda spezzata, il teschio), che fanno delle nature morte un monito alla riflessione sulla fugacità e la vanità dei beni terreni.

b

a. Imitator of Baschenis

Still life with drapes, box, books, fruit, globe, guitar, violin, violoncello with bow, lute, mandola, recorder, last quarter of 17th century

Florence, Galleria Palatina
(on temporary loan
to the Galleria dell'Accademia)
Oil on canvas, 105 x 148 cm
Inv. 1890/5781

b. Bartolomeo Bimbi
(Settignano 1648-Florence 1726)

Still life with lute, viola with bow, sheet with musical score, cabinet, small boxes, oranges, chitarrino, trumpet, violin, flute, books, armillary sphere, guitar, Turkish carpet, drapes, *ante* 1702

Florence, Galleria Palatina
(on temporary loan
to the Galleria dell'Accademia)
Oil on canvas, 51 x 66 cm
Inv. 1890/5801

According to the inventory, among the pictures owned by Grand Prince Ferdi-nando were two still lifes by Evaristo Baschenis with musical instruments. Today only one of these remains, but it is not recognised by the experts as the work of the Bergamo painter, ra-ther it is thought to be by an un-known imitator. The book which ap-pears with its back leaning on the flat surface is by the Vicenza historian Al-fonso Loschi, the author of *Compendi storici* published in 1655. Of the sec-ond painting, today lost, a small copy by Bartolomeo Bimbi remains. Bimbi was the favourite still life painter of the Medici court in the era of Cosimo III and was also appreciated by Ferdi-nando. This type of picture, which is pleasant to the eye, mixed different objects arranging them with skilful imagination, that all alluded to world-ly pleasures or interests (beside musi-cal instruments were scientific instru-ments, books, various types of food, cups, pitchers or plates, mirrors, and jewels also appear). The exuberant beauty of the compositions hides, or at least offers relief from reminders of the passing of time (hour-glass or clock) or of death (rotting fruit, a bro-ken string, a skull), which make still lifes a warning to reflect on transitori-ness and the vanity of earthly goods.

75

a

a. Cristoforo Munari
(Reggio Emilia 1667-Pisa 1720)
Violino con archetto,
violoncello, foglio con
notazioni musicali, tromba,
liuto, libri, vassoio con
frutta e agrumi, porcellane,
bucchero, flauto dolce,
tovaglia rossa, 1709 circa

Firenze, Galleria degli Uffizi
(Corridoio Vasariano)
Olio su tela, cm 99 x 134
Inv. 1890/7591

b. Cristoforo Munari
(Reggio Emilia 1667-Pisa 1720)
Panoplia musicale
con cornetto, flauto dolce,
violino con archetto,
mandolino, 1707-1713 circa

Firenze, Galleria Palatina
(in deposito temporaneo
presso la Galleria dell'Accademia)
Olio su tela, cm 65 x 49
Inv. 1890/7745

c. Cristoforo Munari
(Reggio Emilia 1667-Pisa 1720)
Natura morta con calice,
bucchero, foglio con
notazioni musicali, libri,
arance, flauto dolce, tovaglia
rossa, 1707-1713 circa

Firenze, Galleria degli Uffizi
(Corridoio Vasariano)
Olio su tela, cm 42 x 67
Inv. Poggio Imperiale n. 423

d. Cristoforo Munari
(Reggio Emilia 1667-Pisa 1720)
Natura morta con bucchero,
liuto, tazze, tappeto, frutta,
violoncello con archetto,
flauto dolce, fogli
con notazioni musicali,
1707-1713 circa

Firenze, Galleria Palatina
(in deposito temporaneo
presso la Galleria dell'Accademia)
Olio su tela, cm 175 x 147
Inv. 1890/5139

Cristoforo Munari, pittore di nature
morte nato a Reggio Emilia nel
1667, fu attivo per la corte medicea
dal 1707 fino alla sua morte nel
1720 e in particolare la sua presenza fu costante fino alla morte del
granprincipe, con cui intraprese
una collaborazione e un'amicizia
particolarmente stretta. La sua ope-

b

a. Cristoforo Munari
(Reggio Emilia 1667-Pisa 1720)

Violin with bow, violoncello, sheet with musical score, trumpet, lute, books, tray with fruit and citrus fruit, china, bucchero, recorder, red tablecoth, c. 1709

Florence, Galleria degli Uffizi
(Corridoio Vasariano)
Oil on canvas, 99 x 134 cm
Inv. 1890/7591

b. Cristoforo Munari
(Reggio Emilia 1667-Pisa 1720)

Musical panoply with cornett, recorder, violin with bow, mandolin, c. 1707-1713

Florence, Galleria Palatina
(on temporary loan
to the Galleria dell'Accademia)
Oil on canvas, 65 x 49 cm
Inv. 1890/7745

c. Cristoforo Munari
(Reggio Emilia 1667-Pisa 1720)

Still life with goblet, bucchero, sheet

with musical score, books, oranges, recorder, red tablecloth, c. 1707-1713

Florence, Galleria degli Uffizi
(Corridoio Vasariano)
Oil on canvas, 42 x 67 cm
Inv. Poggio Imperiale no. 423

d. Cristoforo Munari
(Reggio Emilia 1667-Pisa 1720)

Still life with bucchero, lute, cups, carpet, fruit, violoncello with bow, recorder, sheet with musical score, c. 1707-1713

Florence, Galleria Palatina
(on temporary loan
to the Galleria dell'Accademia)
Oil on canvas, 175 x 147 cm
Inv. 1890/5139

Cristoforo Munari, a still-life painter who was born in Reggio Emilia in 1667, was active in the Medici court from 1707 until his death in 1720. His presence was particularly constant up to the death of the Grand Prince of whom he was a close collaborator and friend. His work was

C

ra fu molto apprezzata anche dal cardinale Francesco Maria, zio di Ferdinando e uomo di sensibilità straordinariamente a lui affine, che amava ritirarsi per i suoi momenti di studio e di svago nella villa di Lappeggi. Per Ferdinando il Munari dipinse un gran numero di tele di tutte le dimensioni, destinate ad arredare sia gli appartamenti di Pitti sia le ville di Pratolino, di Poggio a Caiano e di Artimino. Quelle qui esposte sono scelte per il fatto di raffigurare strumenti musicali, mescolati con apparente casualità ad altri oggetti. In particolare la grande tela conservata agli Uffizi (Corridoio Vasariano, inv. 1890/7591) era in origine collocata nelle sale di Pitti. Nella seconda delle due è dipinto un cembalo, strumento che lo stesso Ferdinando suonava ed è l'unico caso in cui il foglio di musica reca un brano realmente suonabile, evidentemente scritto da qualcun altro, dato che il Munari non conosceva la musica; compare, inoltre, sullo sfondo, una sfera armillare, la cui presenza è da collegare alla frequentazione di Ferdinando con Lorenzo Magalotti e Francesco Redi, ambedue esponenti di spicco dell'Accademia del Cimento, circolo scientifico fondato a Firenze nel 1657 per sostenere e diffondere gli studi galileiani. Anche la ripetuta rappresentazione di vasi in bucchero è dovuta alla passione che il Magalotti aveva per questo materiale nero e lucido, al quale dedicò un piccolo trattato. Le porcellane cinesi e i tappeti turchi, infine, danno un'idea della sontuosità degli arredi della corte medicea e della passione per gli oggetti esotici già diffusa agli albori del rococò. Nella *Panoplia musicale*, proveniente dai depositi di Palazzo Pitti, compare un cornetto, strumento alquanto antiquato all'epoca, ma non del tutto dimenticato a Firenze, città sotto molti aspetti estremamente conservatrice.

d

also much appreciated by cardinal Francesco Maria, Ferdinando's uncle and a man of extraordinary sensitivity close to his, who liked to retire for his moments of study and relaxation at the villa of Lappeggi.

For Gran Prince Ferdinando, Munari painted a large number of canvases of all sizes, destined for the decoration both of the Pitti apartments and of the villas of Pratolino, Poggio a Caiano and Artimino. Those shown here have been chosen for the fact that they show musical instruments, mixed apparently casually with other objects. In particular the large canvas kept respectively in the Uffizi (Corridoio Vasariano, inv. 1890/7591) was originally hung in the rooms of Pitti. In the second of the two is painted a harpsichord, an instrument which Ferdinando himself played, and it is the only case in which the sheet of music contains a passage which can actually be played, evidently written by someone else given that Munari did not know music.

Moreover, in the background appears an armillary sphere whose presence may be linked to the fact that Ferdinando associated with Lorenzo Magalotti and Francesco Redi, both important members of the Accademia del Cimento, a scientific circle founded in Florence in 1657 to support and spread Galileo's studies.

The repeated portrayal of vases in bucchero is due to the passion that Magalotti had for this black shiny material to which he dedicated a short treatise.

Finally, Chinese porcelain and Turkish carpets give an idea of the sumptuousness of the furnishings of the Medici court and of the passion for exotic objects which was already widespread at the dawning of rococo. In the *Musical panoply*, from the deposit of Palazzo Pitti, a curved cornett appears. This is quite an antiquated instrument for the era, but it was not wholly forgotten in Florence, a town which was in many ways extremely conservative.

Marco Ricci
(Belluno 1676-Venezia 1730)
Riunione musicale, 1706-1707

Firenze, Galleria dell'Accademia
Olio su tela, cm 52 x 101
Giornale d'entrata di Arte Antica,
n. 12.385

Il dipinto è stato acquistato nel 2006 e documenta una rara scena di vita musicale fiorentina di primo Settecento al di fuori della corte medicea: secondo un cartiglio antico incollato sul verso, infatti, «Il quadro fu dipinto probabilmente al[la Villa detta il] Barone nella villeggiatura... Il quadro è una scena rappresentante un concerto dipinto da un pittore amico della estinta casa Tempi di Firenze. Fra i personaggi vi figurano individui della detta casa [...]. Gli altri sono invitati e professori di musica di Firenze ritratti dal vero. Le donne sono signore di casa Tempi o signore invitate. La scena sembra tratta tutta dal

vero. I personaggi sono tutti ritratti anzi che no».
La scena rappresenta un'accademia vocale con due cantanti accompagnate, secondo la prassi dell'epoca, da un gruppo costituito da clavicembalo, chitarrone, violoncello e contrabbasso – destinati a sviluppare il cosiddetto "basso continuo" – e alcuni strumenti ad arco disposti dietro il cembalo, mentre il personaggio in piedi accanto alla coda del cembalo, con il ventaglio in mano, sembra intento a dare gli attacchi ai musicisti.
La verosimiglianza della raffigurazione è particolarmente evidente nel caso del violinista di destra, che porta gli occhiali, oltre che in alcuni dettagli degli strumenti come l'accuratezza con cui sono raffigurati i piroli e la tracolla del chitarrone e la posizione del ponticello del violoncello, particolarmente bassa per quell'epoca. La presenza, per quest'ultimo, di un puntale già da allora, invece, è particolarmente degno di nota.

Marco Ricci
(Belluno 1676-Venice 1730)

Musical gathering, 1706-1707

Florence, Galleria dell'Accademia
Oil on canvas, 52 x 101 cm
Giornale d'entrata di Arte Antica, no. 12.385

This painting, purchased in 2006, records a rare scene of Florentine musical life outside of the Medicean court. An old strip of paper glued to the back states, in fact, that 'The picture was probably painted at [the Villa known as the] Barone during the summer holidays... It is a scene representing a concert painted by an artist friend of the now-extinct Tempi family of Florence. Some of the personages depicted are members of the family [...]. The others are guests and music professors from Florence painted from life. The ladies are members of the Templi family or guests. The scene appears in every way to be painted from real life. The personages are all portraits rather than not'. The scene represents a voice school with two singers accompanied, according to the practice of the time, by a group made up of harpsichord, chitarrone, cello and double bass – destined to develop into the so-called "basso continuo" – and some string instruments positioned behind the harpsichord, while the personage standing beside the tail of the instrument, holding a fan, seems intent on cuing the musicians to strike up. The verisimilitude of the representation is particularly striking in the case of the violinist on the right, who is wearing glasses, and in some details of the instruments, such as the accurate depiction of the pegs and shoulder strap of the chitarrone and the position of the bridge on the cello, particularly low for the time. The presence of an end pin on the cello already at this early date is particularly noteworthy.

Anton Domenico Gabbiani
(Firenze 1652-1726)

Trio di musici del Granprincipe Ferdinando con servitore negro, 1687 (?)

Firenze, Galleria Palatina
(in deposito temporaneo
presso la Galleria dell'Accademia)
Olio su tela, cm 141 x 208
Inv. 1890/2802

Il dipinto potrebbe raffigurare il violinista Martino Bitti, divenuto il preferito di Ferdinando nel 1685 all'età di ventinove anni, e il cantante Francesco de Castro, che a partire proprio dal 1687, fu stabilmente al servizio del Granprincipe, per quanto avesse cantato per lui già nel 1685. Il suonatore di cembalo non può essere identificato, come è stato suggerito, con Giovanni Maria Pagliardi, insegnante di cembalo di Ferdinando, che era un prete e a quell'epoca aveva quarantotto anni. Del Pagliardi, inoltre, possediamo un ritratto di mano del pittore Domenico Tempesti, che lo mostra con sembianze del tutto differenti. Il servitore moro sulla destra è una figura ricorrente alla corte granducale, che amava circondarsi di uomini in qualche modo esotici o deformi, come i nani o il famoso negro albino Benedetto Silva, fatto più volte ritrarre da Cosimo III.

Anton Domenico Gabbiani
(Florence 1652-1726)

Trio of musicians of Grand Prince Ferdinando with negro servant, 1687 (?)

Florence, Galleria Palatina
(on temporary loan
to the Galleria dell'Accademia)
Oil on canvas, 141 x 208 cm
Inv. 1890/2802

The painting may be a portrait of the violinist Martino Bitti, who became Ferdinando's favourite in 1685 at the age of 29, and the singer Francesco de Castro, who precisely from 1687 was regularly in the Grand Prince's service, though he had already sung for him in 1685. The harpsichord player cannot, as has instead been suggested, be identified as Giovanni Maria Pagliardi, Ferdinando's harpsichord teacher, who was a priest and at that time was 48 years old. We however possess a portrait of Pagliardi painted by Domenico Tempesti, who showed him with a completely different appearance. The moorish servant to the right is a recurrent figure at the court of the Grand-Duke. He loved to surround himself with men who were in some way exotic or deformed, such as dwarves or the famous albino negro Benedetto Silva, whom Cosimo III had had painted several times.

83

Anton Domenico Gabbiani
(Firenze 1652-1726)
Trio di musici del Granprincipe Ferdinando, 1687 (?)

Firenze, Galleria Palatina
(in deposito temporaneo
presso la Galleria dell'Accademia)
Olio su tela, cm 114 x 153
Inv. 1890/2807

Di dimensioni diverse e più contenute rispetto al suo pendant, il presente dipinto raffigura i cantanti Vincenzo Olivicciani, Antonio Rivani e Giulio Cavalletti, come si legge nei foglietti che essi tengono in mano. Presso la corte di Ferdinando erano molto apprezzati i cantanti castrati, che mantenevano una voce particolarmente piacevole per il gusto dell'epoca. Ancora nel Settecento tale pratica, ormai giudicata "barbara" in altri paesi europei e poco frequente in altre città italiane, sembra fosse rimasta di gran moda a Firenze, secondo quanto si apprende dalla testimonianza di alcuni viaggiatori stranieri di passaggio in Italia. L'ultimo luogo in assoluto ad abbandonare l'uso dei castrati fu la cappella pontificia, dove furono utilizzati fino agli inizi del Novecento.

Anton Domenico Gabbiani
(Florence 1652-1726)

Trio of musicians of the Grand Prince Ferdinando, 1687(?)

Florence, Galleria Palatina
(on temporary loan
to the Galleria dell'Accademia)
Oil on canvas, 114 x 153 cm
Inv. 1890/2807

The present painting, of different and smaller dimensions than its pair, portrays the singers Vincenzo Olivicciani, Antonio Rivani and Giulio Cavalletti, as can be read in the papers they are holding. Castrati singers, who had a particularly pleasing voice for the taste of the time, were much appreciated at the court of Ferdinando. In the 18th century this practice, by then judged as "barbarian" in other European countries and infrequent in other Italian towns, seems still to have remained in fashion in Florence according to the testimony of some foreign travellers passing through Italy. The last place to abandon the use of castrati singers was the Pontifical Chapel, where they were used until the beginning of the 20th century.

Anton Domenico Gabbiani
(Firenze 1652-1726)

Ritratto di musico con liuto, 1685-1690 circa

Firenze, Educandato della Santissima
Annunziata al Poggio Imperiale
(in deposito temporaneo
presso la Galleria dell'Accademia)
Olio su tela, cm 130 x 95
Inv. Poggio Imperiale 1860 n. 67

Il quinto fra i dipinti con musici citati nell'inventario del 1748 della villa di Pratolino era il ritratto di un maestro di cappella vestito alla francese, quindi con la marsina, la giacca lunga assai raffinata ed elegante, che appare nei dipinti precedenti indossata da tutti i personaggi in abito non talare. Le misure erano identiche a quelle della tela con un trio di musici e con essa doveva fare *pendant*; quanto sopra illustrato esclude che lo si possa identificare con la presente opera e inoltre conferma che i ritratti di musici del Gabbiani non erano solo i cinque ricordati nella villa di Pratolino, ma ne dovevano esistere anche altri in diverse residenze granducali.

Anton Domenico Gabbiani
(Florence 1652-1726)

Portrait of musician with lute, c. 1685-1690

Florence, Educandato della Santissima
Annunziata at Poggio Imperiale
(on temporary loan
to the Galleria dell'Accademia)
Oil on canvas, 130 x 95 cm
Inv. Poggio Imperiale 1860 no. 67

The fifth of the paintings with musicians cited in the 1748 inventory of the villa of Pratolino, was the portrait of a chapel-master dressed in French style; hence, with tail-coat, the long rather refined jacket which appears in the previous painting worn by all the personages not in priestly habit. The measures were identical to those of the canvas with a trio of musicians and it was supposed to be paired with that; this rules out the possibility that it can be identified with the present opera and, moreover, confirms that Gabbiani's portraits of musicians were not only the five mentioned for the villa of Pratolino, but that others must have existed in other grand-ducal residences.

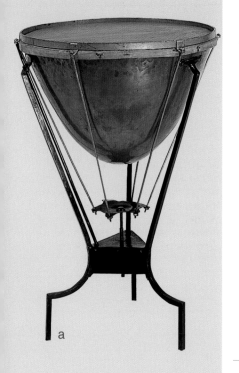

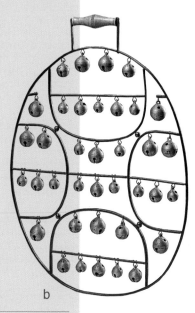

a. Coppia di timpani, 1837 circa
Johann Caspar Joseph Einbigler, attr.
(Francoforte 1797-1869)

Rame, ferro, pelle
Altezza della pelle da terra cm 80;
diametro delle pelli: cm 50 / 53
Inv. Cherubini 1988/199, 209

b. Coppia di sonagliere, fine XVIII secolo
Anonimo

Ferro e bronzo
Diametro del telaio cm 45,8 x 37
Inv. Cherubini 1988/204, 212

c. Coppia di castagnette, metà XIX secolo
Anonimo

Legno di bosso
Dimensioni: cm 8,6 x 5,2
Inv. Cherubini 1988/203, 211

d. Coppia di triangoli, fine XVIII secolo
Anonimo

Ferro
Lunghezza del lato cm 30,5 e 16
Inv. Cherubini 1988/205, 206

e. Coppia di xilofoni, fine XVIII secolo
Anonimo

Palissandro
Lunghezza delle tavolette cm 11,6-26,1;
lunghezza dello strumento 55,5
Inv. Cherubini 1988 /202, 210

Gli strumenti a percussione hanno un ruolo di primo piano nella musica teatrale e da ballo di epoca lorenese. Sonagli, campanelli, triangoli e persino bicchierini intonati sono sovente utilizzati sia per dare vivacità alle musiche strumentali, sia, con l'aggiunta dei timpani, nel corso delle rappresentazioni operistiche.

---

a. Pair of kettle-drums c. 1837
Johann Caspar Joseph Einbigler, attrib.
(Frankfurt 1797-1869)

Copper, iron, leather
Height of the drumhead from the ground 80 cm;
diameter of the drumheads: 50 / 53 cm
Inv. Cherubini 1988/199, 209

b. Pair of jingles, end of 18th century
Anonymous

Iron and bronze
Frame diameter 45.8 x 37 cm
Inv. Cherubini 1988/204, 212

c. Pair of castanets, mid-19th century
Anonymous

Boxwood
Dimensions: 8.6 x 5.2 cm
Inv. Cherubini 1988/203, 211

d. Pair of triangles, end of 18th century
Anonymous

Iron
Side lengths 30,5 and 16 cm
Inv. Cherubini 1988/205, 206

e. Pair of xylophones, end of 18th century
Anonymous

Rosewood
Length of bars 11.6-26.1 cm;
instrument length 55.5 cm
Inv. Cherubini 1988 /202, 210

Percussion instruments have an important role in theatre or ball music of the Lorraine era. Rattles, bells, triangles and even tuned glasses are often used both to enliven the instrumental music and, with the addition of kettle-drums, during opera performances.
Among the instruments preserved we find a couple of kettle-drums of 1837

89

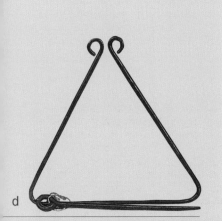

c

d

e

Tra gli strumenti conservati si trova una coppia di timpani del 1837 dotata di un meccanismo che permette, per mezzo della rotazione di una manovella, di aumentare o diminuire la tensione delle pelli accordandole velocemente. Si tratta degli unici strumenti sopravvissuti attribuiti al costruttore tedesco Einbigler, elogiato, tra gli altri, dal compositore Felix Mendelssohn Bartholdy.

La coppia di sonagliere, invece, sembra essere stata acquistata negli anni Novanta del XVIII secolo e un'annotazione inventariale più tarda ne indica l'uso per un così detto "valzer della frusta". Più recenti sono invece le due coppie di castagnette di bosso, anch'esse destinate all'accompagnamento della danza.

I due triangoli, superstiti di una serie acquisita alla fine del Settecento, facevano parte degli strumenti regolarmente richiesti tra le percussioni d'orchestra per le esecuzioni operistiche, spesso come componenti della cosiddetta "banda turca", un insieme di percussioni composto da tamburo, grancassa, cappel cinese e triangolo ispirato alle bande musulmane e diffuso in tutta Europa e in particolare in Austria dopo la metà del XVIII secolo. Sempre alla musica teatrale dovevano essere destinati i due xilofoni, costituiti da una serie di sedici tavolette di legno intonate, presenti nella collezione dall'ultimo decennio del Settecento.

equipped with a mechanism which allows, through the turning of a handle, the tension of the heads to be increased or diminished, tuning them quickly. These are the sole instruments left attributed to the German instrument-maker Einbigler, praised also by the composer Felix Mendelssohn Bartholdy.

The pair of jingles instead seems to have been purchased by the Lorraine family in the 1890s and in a later inventory description their use for a so-called "waltz of the whip" is indicated.

More recent are instead the two pairs of boxwood castanets, also destined for the accompaniment of dancing.

The two surviving triangles of a series purchased at the end of the 18th century were part of the instruments regularly requested from orchestral percussion for opera performances, often as components of the so-called "Turkish band": a percussion group made up of drum, bass drum, Turkish crescent and triangle, which were inspired by the Muslim bands and widespread throughout Europe and particularly Austria after the mid-18th century.

The two xylophones must also have been destined for theatrical music. They are made up of a series of sixteen tuned wooden bars, and have been present in the collection since the last decade of the 18th century.

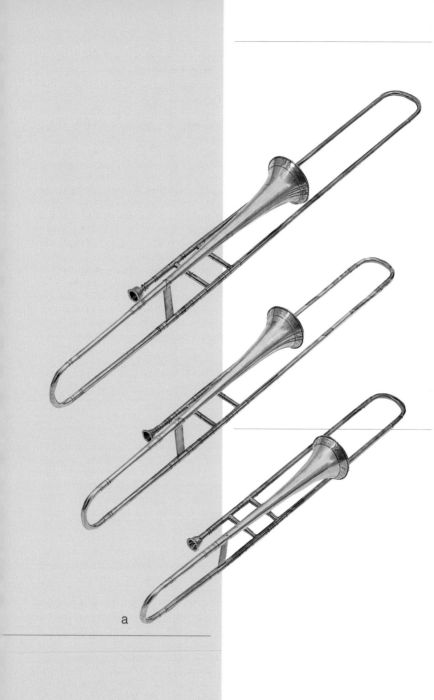

a

a. Trio di tromboni, 1813

Joseph Huschauer
(? 1748-Vienna 1805,
fabbrica attiva fino al 1815)

Ottone
Tenore: lunghezza d'ingombro cm 99,5;
lunghezza del canneggio cm 238;
diametro interno all'entrata mm 12
Tenore: lunghezza d'ingombro cm 118;
lunghezza del canneggio cm 278;
diametro interno all'entrata mm 12
Basso: lunghezza d'ingombro cm 138;
lunghezza del canneggio cm 325;
diametro interno all'entrata mm 12,5
Inv. Cherubini 1988/182-184

b. Coppia di corni naturali con ritorte, 1807

Michael Saurle
(Dachau 1779-Monaco 1845)

Ottone
Lunghezza d'ingombro cm 59;
lunghezza del canneggio cm 229;
diametro interno all'entrata mm 11,8
Inv. Cherubini 1988/192-193

c. Cornetta da posta, *ante* 1819

Anonimo

Ottone
Lunghezza d'ingombro cm 26;
lunghezza del canneggio cm 141,9;
diametro interno all'entrata mm 8,8
Inv. Cherubini 1988/191

I sei strumenti d'ottone conservati nella collezione lorenese potrebbero essere stati portati a Firenze con il rientro di Ferdinando III nel 1814, a seguito della restaurazione lorenese, o essere stati acquistati negli anni subito successivi.

I tre tromboni a tiro, muniti cioè di un dispositivo detto "coulisse" che permette di prolungare il canneggio, furono costruiti a Vienna nel 1813 da Joseph Huschauer e forse costituiscono l'unico trio classico di tromboni che si sia conservato sino a oggi. I due strumenti gravi sono un basso in Sol e un tenore in Sib,

---

a. Trio of trombones, 1813

Joseph Huschauer
(? 1748-Vienna 1805,
workshop active until 1815)

Brass
Tenor: overall length 99.5 cm;
length of the bore 238 cm;
inner diameter at the top of the bore 12 mm
Tenor: overall length 118 cm;
length of the bore 278 cm;
inner diameter at the top of the bore 12 mm
Bass: overall length 138 cm;
length of the bore 325 cm;
inner diameter at the top of the bore 12.5 mm
Inv. Cherubini 1988/182-184

b. Pair of natural horns with crooks, 1807

Michael Saurle
(Dachau 1779-Munich 1845)

Brass
Overall length 59 cm;
length of the bore 229 cm;
inner diameter at the top of the bore 11.8 mm
Inv. Cherubini 1988/192-193

c. Post-horn, *ante* 1819

Anonymous

Brass
Overall length 26 cm;
length of the bore 141.9 cm;
inner diameter at the top of the bore 8.8 mm
Inv. Cherubini 1988/191

The six brass instruments preserved in the Lorraine collection may have been brought to Florence with the re-entry of Ferdinando III in 1814, following the Lorraine restoration, or may have been purchased in the years immediately following it.

The three trombones, equipped with a device called "coulisse" which allows the bore to be prolonged, were constructed in Vienna in 1813 by Joseph Huschauer and perhaps are the only classic trio of trombones which have been preserved until today. The two lower-pitched instruments are a bass in G and a tenor in B flat. Recent studies have induced

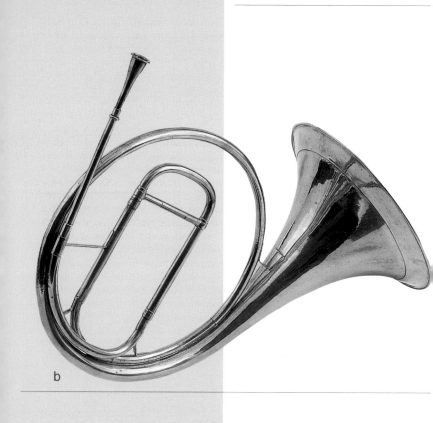

b

c

mentre studi recenti hanno indotto a sospettare che il più acuto dei tre, che potrebbe essere stato un secondo tenore in Sib, sia in realtà stato modificato e accorciato in epoca successiva, cosicché è impossibile, attualmente, stabilirne con certezza la taglia originaria.

I due corni naturali, privi cioè di un sistema di valvole o pistoni, sono strumenti destinati all'uso in orchestra e furono costruiti nel 1807 a Monaco da Michael Saurle. Sulla campana è inciso lo stemma degli elettori di Baviera. Il canneggio di un corno di questo tipo, che avvolto non occupa che un piccolo spazio, si estende in realtà per oltre due metri e venti centimetri. Una serie di cannelli, o ritorte, che possono essere aggiunti o tolti a seconda delle necessità musicali del brano, permette di modificare la nota base dello strumento, e la serie di note che può produrre.

La cornetta da posta, invece, prende il nome dall'uso originario che ne veniva fatto da parte dei corrieri del servizio postale, sin dall'inizio del XVI secolo, per segnalare il loro arrivo alle vetture che li precedevano o alle stazioni. Già dagli anni Venti dell'Ottocento questo strumento iniziò a essere abbastanza usato anche nelle bande e svariati compositori gli dedicarono parti più o meno impegnative nelle proprie composizioni.

the suspicion that the most acute of the three, which could have been a second tenor in B flat, was actually modified and shortened in a subsequent era so that it is now impossible to establish its original lenght with certainty.

The two natural horns, i.e. free of any system of valves or pistons, are instruments destined for orchestral use and were constructed in 1807 in Munich by Michael Saurle. On the bell is etched the coat-of-arms of the electors of Bavaria. The tubing of a horn of this type, which only takes up a small space, actually extends for over 2.20 metres. A series of crooks which can be added or removed according to the musical needs of the piece, allow the base note of the instrument to be modified as well as the series of notes that it can produce.

The post-horn instead takes its name from the original use which was made of it by the couriers of the postal service from the beginning of the 16th century to signal their arrival to the carriages ahead or to the post-houses. Already in the 1820s this instrument began to be rather frequently used also in bands and various composers dedicated shorter or longer parts to them in their compositions.

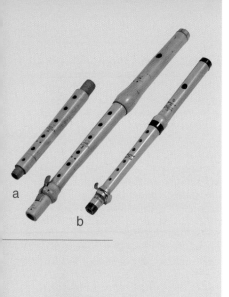

a

b

c

d

a. Ottavino con pezzo di ricambio, *ante* 1806

*Friedrich Gabriel August Kirst
(Dresda 1750 circa-Potsdam 1806)*

Legno di bosso e corno
Lunghezza totale cm 32,8
(cm 32,3 col pezzo di ricambio);
diametro interno al foro
d'insufflazione mm 11,5;
diametro interno all'uscita mm 10,1
Inv. Cherubini 1988/118

b. Flauto decimino in Sol, 1838 circa

*Vinatieri e Castlas
(Torino, fabbrica attiva dal 1838
a prima del 1844)*

Legno di bosso e corno
Lunghezza totale cm 25,2;
diametro interno al foro
d'insufflazione mm 8,4;
diametro interno all'uscita mm 6,6
Inv. Cherubini 1988/117

a. Piccolo with corps the rechange, *ante* 1806
*Friedrich Gabriel August Kirst
(Dresden 1750 circa-Potsdam 1806)*

Boxwood and horn
Total length 32.8 cm (32.3 with corps de
rechange); inner diameter at the embouchure
11.5 mm; inner diameter at the end
of the bore 10.1 mm
Inv. Cherubini 1988/118

b. Piccolo in G, c. 1838
*Vinatieri e Castlas
(Turin, workshop active from 1838
until before 1844)*

Boxwood and horn
Total length 25.2 cm; inner diameter
at the embouchure 8.4 mm; inner diameter
at the end of the bore 6.6 mm
Inv. Cherubini 1988/117

c. Clarinetto in Sol, 1838 circa

Vinatieri e Castlas
(Torino, fabbrica attiva dal 1838
a prima del 1844)

Legno di bosso e corno
Lunghezza totale cm 38,6;
diametro interno al barilotto mm 10,6;
diametro interno all'uscita
della campana mm 40
Inv. Cherubini 1988/159

d. Cinque clarinetti in Mib con pezzi di ricambio in Re, 1838 circa

Vinatieri e Castlas
(Torino, fabbrica attiva dal 1838
a prima del 1844)

Legno di bosso e corno
Lunghezza totale cm 49,3
(cm 51,6 col pezzo di ricambio);
diametro interno al barilotto mm 12,7;
diametro interno all'uscita
della campana mm 49
Inv. Cherubini 1988/160-164

e. Corno di bassetto con barilotto di ricambio, 1810-1819

Wolfgang Kies
(Sandau 1799 circa-Vienna 1834
fabbrica attiva fino al 1839)

Legno di acero e ottone
Lunghezza d'ingombro cm 43,4;
lunghezza totale del canneggio cm 74 ca.;
diametro interno all'entrata
della cameratura mm 15,4;
diametro interno all'uscita
della campana mm 135 x 78
Inv. Cherubini 1988/167

f. Serpentone, fine XVIII secolo

Lorenzo Cerino
(? -Torino ? 1802)

Legno di castagno (?) e cuoio
Lunghezza d'ingombro cm 86;
lunghezza del canneggio cm 195 ca.;
diametro interno all'entrata mm 11;
diametro interno all'uscita
mm 108 x 94
Inv. Cherubini 1988/175

---

c. Clarinet in G, c. 1838

Vinatieri e Castlas
(Turin, workshop active
from 1838 until before 1844)

Boxwood and horn
Total length 38.6 cm;
inner diameter at barrel 10.6 mm;
inner diameter at bell exit 40 mm
Inv. Cherubini 1988/159

d. Five clarinets in E flat, with corps de rechange in D, c. 1838

Vinatieri e Castlas
(Turin, workshop active from 1838
until before 1844)

Boxwood and horn
Total length 49.3 cm
(51.6 cm with corps de rechange);
inner diameter at barrel 12.7 mm;
inner diameter at bell exit 49 mm
Inv. Cherubini 1988/160-164

e. Basset-horn with corps the rechange, 1810-1819

Wolfgang Kies
(Sandau 1799 c.-Vienna 1834,
workshop active until 1839)

Maplewood and brass
Overall length 43.4 cm;
total length of the bore 74 cm ca.;
inner diameter at the beginning
of the bore 15.4 mm;
inner diameter at the end of the bell 135 x 78 mm
Inv. Cherubini 1988/167

f. Serpent, end of 18th centutry

Lorenzo Cerino
(? -Turin ? 1802)

Chestnut wood (?) and leather
Total length 86 cm;
length of the bore 195 cm ca.;
inner diameter at the beginning
of the bore 11 mm; inner diameter
at the end of the bore 108 x 94 mm
Inv. Cherubini 1988/175

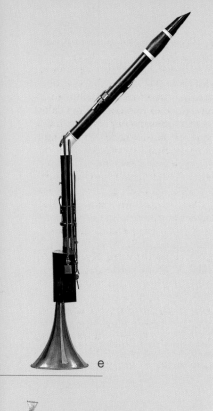

e

f

Questi nove strumenti provengono tutti dalla collezione dei Lorena, nella cui vita musicale gli strumenti a fiato rivestivano un ruolo di primissimo piano. Erano frequentissime, infatti, le esibizioni della cappella di corte, che suonava in concerti, musica sacra per le funzioni religiose e musica da ballo, e quelle della Real guardia palatina che si esibiva nella piazza antistante Palazzo Pitti. Le musiche provenienti dalla collezione lorenese, inoltre, testimoniano la prassi abituale di far trascrivere intere opere liriche per "Harmonie" di strumenti a fiato e percussioni, poco tempo dopo la loro esecuzione nella versione originale. Tra i pochi strumenti a fiato conservati si trova un flauto ottavino, che suona cioè un'ottava sopra la taglia tradizionale del flauto traverso in Re3, di Friedrich Gabriel August Kirst, uno dei due soli ottavini noti di questo costruttore. Lo strumento ha anche un pezzo di

These nine instruments all come from the collection of the Lorraine family, in whose musical life wind instruments played a primary role. Performances of the Court Chapel, which played in concerts, religious music for holy services and dance music, and of the Royal Palatine Guard that played in the square in front of Palazzo Pitti, were very frequent. The music coming from the Lorraine collection moreover proves the habitual custom of transcribing whole operas for "Harmonie" of wind instruments and percussion, only a short time after their performance in the original version.

Of the few wind instruments preserved we find a piccolo, i.e. a flute which plays an octave higher than the usual range of the flute in d'; this is by Friedrich Gabriel August Kirst, and is one of the only two known piccolos of this maker. The instru-

ricambio, marcato con il numero 2 che, sostituito al numero 1, permette di rendere un poco più acuta l'intonazione.

L'altro flauto traverso, di lunghezza ancora inferiore, è un decimino tagliato in Fa4 costruito dalla fabbrica torinese Vinatieri e Castlas e acquisito dalla corte intorno agli anni Quaranta dell'Ottocento assieme a cinque clarinetti piccoli in Mib (una taglia tipicamente utilizzata per le bande) degli stessi costruttori e praticamente identici tra loro. Questi, in legno di bosso, sono tutti muniti di pezzi di ricambio che permettono di intonare gli strumenti in Re3, ossia di abbassare di mezzo tono l'intonazione originaria. Della stessa ditta torinese è anche il sesto clarinetto, più piccolo e intonato in Sol3.

Il corno di bassetto è, invece, uno strumento della famiglia del clarinetto ma di taglia più grave, grazie alla maggiore lunghezza del canneggio ottenuta anche per mezzo della caratteristica "scatola" posta subito al disopra della campana in ottone, all'interno della quale il canneggio è ripiegato tre volte. Lo strumento faceva parte di una coppia, ma l'altro corno di bassetto fu prestato e infine donato al musicista della banda militare Giovanni Poggiali nel 1849.

Il serpentone, costruito dal torinese Luigi Cerino, faceva parte della collezione granducale già nel 1799 e si trattava di uno strumento tradizionalmente molto usato come basso per l'accompagnamento di musiche sacre e militari. Il presente esemplare è costituito da due blocchi di legno, probabilmente castagno, scavati, incollati tra loro e quindi coperti di pelle per garantire la tenuta d'aria. Le note sono prodotte con una tecnica mista tra quella degli ottoni, come si può vedere dal bocchino d'avorio a forma emisferica, e quella dei legni, con i sei fori di diteggiatura.

---

ment also has a corps de rechange, marked with the number 2 which, when substituted to number 1, permits a slightly higher tuning.

The other flute, which is even shorter, is a piccolo pitched in f'' and built by the Turin workshop Vinatieri e Castlas. It was purchased by the court in the 1840s with five small clarinets in E flat (a pitch typically used for bands) by the same makers and practically identical to each other. These clarinets in boxwood are all equipped with corps de rechanges which allow the instruments to be tuned in d', i.e. to lower the original tuning by a semitone. The sixth clarinet, smaller and tuned in g', is also by the same Turin firm.

The basset-horn is instead an instrument of the clarinet family but a lower pitch, thanks to the greater length of the bore obtained also by means of the characteristic "box" placed over the brass bell, inside which the tube is bent round three times. The instrument was one of a pair, but the other was lent and eventually given to the musician of the military band, Giovanni Poggiali in 1849.

The serpent, made by Lorenzo Cerino from Turin, was part of the grand-ducal collection already in 1799 and it was an instrument traditionally much used as a bass for the accompaniment of military and theatre music. The present example is built of two blocks of wood, probably chestnut, which are scooped out, glued together and then covered with leather to guarantee their air-tightness. The notes are produced with a mixed technique between that of brass instruments, as can be seen from the hemispheric ivory mouthpiece, and that of woodwinds, with the six holes for fingering.

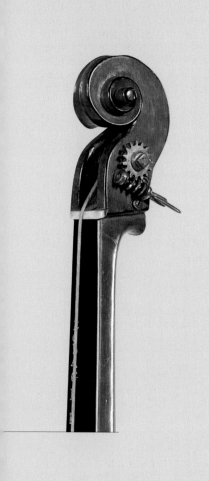

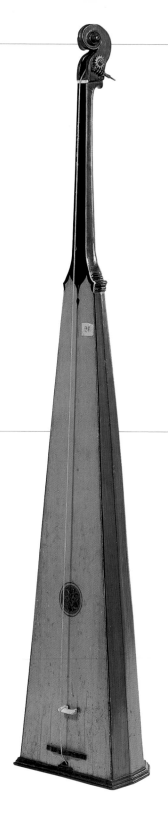

Tromba marina, fine XVIII secolo

Anonimo

Legno di abete bianco, ciliegio e noce
Altezza totale cm 162,4; lunghezza della tavola cm 108,5; larghezza minima della tavola cm 75; larghezza massima della tavola cm 29,2 ; lunghezza vibrante della corda: circa cm 134
Inv. Cherubini 1988/47

Questo strumento, entrato a far parte della collezione granducale dall'ultimo decennio del XVIII secolo, fu utilizzato per la musica eseguita alla corte lorenese almeno sino agli anni Trenta dell'Ottocento. Sulle ragioni del nome "tromba marina" sono tuttora in corso ricerche e discussioni. Si tratta comunque di uno strumento con una singola corda, che viene sfregata con un archetto e sfiorata con il pollice della mano sinistra per produrre le diverse note. In questo modo vengono generati i suoni corrispondenti alla serie degli armonici di una nota di base su cui è accordato lo strumento. Le lettere tracciate in inchiostro bianco sulla tastiera corrispondono alle note fondamentali che lo strumento può produrre con la corda accordata in Re. Il timbro estremamente caratteristico che ne deriva, che ricorda tra l'altro il suono di una tromba, è determinato anche dalla forma del ponticello asimmetrico, con due piedini di cui solo uno appoggia sulla tavola, mentre l'altro resta lievemente sollevato, libero così di battere rapidamente quando la corda vibra. Fra le musiche eseguite a corte è stato trovato un brano dedicato alla tromba marina: si tratta di un aria del *Socrate Immaginario* di Giovanni Paisiello in cui a un assolo strumentale segue un'aria che con le sue parole «Questa corda non s'accorda al dio Amor» sottolinea il timbro aspro dello strumento.

Trumpet marine, end of 18th century

Anonymous

Silver fir, cherry tree and walnut
Total height 162.4 cm;
length of the belly 108.5 cm;
minimum width of the belly 75 cm;
maximum width of the belly 29.2 cm;
vibrating length of string: 134 cm ca.
Inv. Cherubini 1988/47

This instrument, which became part of the grand-ducal collection from the last decade of the 18th century, was used for the music performed at the Lorraine court up to the 1830s. The reasons for the name tromba marina, "trumpet marine", are still the object of research and debate. This is an instrument with a single string which is bowed and touched lightly with the thumb of the left hand to produce the different notes. In this way the sounds are generated which correspond to the harmonic overtones of a base note on which the instrument is tuned. The letters marked in white ink on the fingerboard correspond to the fundamental notes that the instrument can produce with the string tuned in D. The extremely characteristic tone produced, which does in fact recall the sound of a trumpet, is also determined by the shape of the asymmetrical bridge with its two feet, only one of which rests on the belly, while the other remains slightly raised, thus free to beat rapidly when the string vibrates. Among the music performed at the court has been found a piece dedicated to the trumpet marine. It is an aria from Giovanni Paisiello's *Socrate Immaginario* in which an instrumental solo is followed by an aria which, with its words «Questa corda non s'accorda al dio Amor» («This string is not in tune with the god of Love»), emphasises the harsh tone of the instrument.

Coppia di ghironde, 1775
Jean Nicolas Lambert
(Parigi, fabbrica attiva
tra il 1731 e il 1783)

Legno di mogano, acero, faggio, ebano,
avorio
Misure della cassa: lunghezza cm 46,1;
larghezza massima superiore cm 19,3;
larghezza massima inferiore cm 24,5;
diametro della ruota cm 15,6
Inv. Cherubini 1988/50-51

La coppia di ghironde qui esposta risale al 1775, e proviene dalla fabbrica parigina fondata da Jean Nicolas Lambert; si tratta di uno strumento in cui il suono viene prodotto dallo sfregamento di una ruota di legno, azionata da una manovella. Le note, da Sol3 a Sol5 senza Fa#5, si ottengono premendo i tasti di ebano e avorio situati sul lato che trasmettono la pressione delle dita a due corde tese all'interno della struttura detta castelletto. Le quattro corde esterne producono delle note fisse che costituiscono una base armonica per la melodia.

Questo modello, riccamente decorato con madreperla e con le caratteristiche testine scolpite, nacque e si diffuse in Francia con la moda pastorale nella prima metà del XVIII secolo ed ebbe grande diffusione in quel paese anche grazie al fatto che la moglie di Luigi XV ne era un'ottima esecutrice.

Parallelamente alla versione "nobile" dello strumento, ne sopravvisse sino a tutto il XIX secolo una versione popolare, caratteristica dei mendicanti, di aspetto più rozzo ma con identico funzionamento.

Pair of hurdy-gurdies, 1775
Jean Nicolas Lambert
(Paris, workshop active
between 1731 and 1783)

Mahogany, maple, beech and ebony, ivory
Body measurements: length 46.1 cm;
maximum upper width 19.3 cm;
maximum lower width 24.5 cm;
wheel diameter 15.6 cm
Inv. Cherubini 1988/50-51

The pair of hurdy-gurdies displayed here date back to 1775 and come from the Parisian firm founded by Jean Nicolas Lambert. It is an instrument whose sound is produced by the rubbing of a wooden wheel which is made to rotate by winding a cranck. The notes, from g' to g''' without f#''', are obtained by pressing the ebony and ivory keys; these transmit the pressure of the fingers to the two melody strings. The other four strings produce continuous notes which form a harmonic base for the melody.

This model, richly decorated with mother-of-pearl and with the characteristic carved heads, began and spread in France with the pastoral fashion of the first half of the 18th century, and was widespread in that country also thanks to the fact that Louis XV's wife was an excellent player.

Parallel to the "noble" version of the instrument, a popular version of it survived throughout the 19th century; this was typical of beggars and had a rougher appearance but identical functioning.

Viola, 1774
Nikolaus Dopfer
(Füssen 1714-Magonza 1788)

Lunghezza totale cm 65,6
Misure della cassa: lunghezza cm 39,1;
larghezza massima superiore cm 18,5;
larghezza minima al centro cm 12,3;
larghezza massima inferiore cm 22,2
Inv. Cherubini 1988/19

Questa viola contralto fu costruita nel 1774 dal liutaio tedesco Nikolaus Dopfer, attivo alla corte di Magonza tra la prima e la seconda metà del XVIII secolo. I tratti sono quelli peculiari degli strumenti di scuola tedesca, con le arcature della tavola e del fondo estremamente pronunciate, le effe verticali e di piccole dimensioni. Il colore della vernice, originariamente bruno, si è scurito nel tempo per l'ossidazione dei materiali che lo compongono. Lo strumento ha mantenuto il manico originale anche se l'angolazione rispetto alla tavola armonica è stata aumentata con spessori di legno.

Viola, 1774
Nikolaus Dopfer
(Füssen 1714-Mainz 1788)

Total length 65.6 cm
Body measurements: length 39.1 cm;
maximum upper width 18.5;
minimum centre width 12.3 cm;
maximum lower width 22.2 cm
Inv. Cherubini 1988/19

This alto viola was built in 1774 by the German violin-maker Nikolaus Dopfer, who was active at the court of Mainz between the first and second halves of the 18th century. The features are those peculiar to instruments of the German school, with the extremely pronounced arching of the soundboard and back and the small vertical f-holes. The colour of the varnish which was originally dark brown has darkened over time due to the oxidation of the materials composing it. The instrument has kept the original neck even though its angle to the soundboard has been increased by the insertion of some wedges between the neck and the body.

Chitarra a sei corde, *ante* 1804
Anonimo

Legno di abete ed esotico
Lunghezza totale cm 91,5
Misure della cassa: lunghezza cm 43,2;
larghezza massima superiore cm 21,2;
larghezza minima al centro cm 17,9;
larghezza massima inferiore cm 26,1
Inv. Cherubini 1988/73

Questa chitarra, della quale non è noto il nome del costruttore, risale con ogni probabilità all'inizio del XIX secolo e sembra che nel 1807 venisse suonata personalmente dalla allora regina, Maria Luisa di Borbone-Parma. Nonostante alcune notevoli trasformazioni, tra cui la probabile sostituzione del manico, che potrebbe aver implicato anche l'aggiunta della sesta corda, questo strumento conserva l'aspetto tipico delle chitarre del primo Ottocento, con la cassa stretta e poco profonda.

Guitar with six strings, *ante* 1804
Anonymous

Spruce and exotic wood
Total length 91.5 cm
Body measurements: length 43.2 cm;
maximum upper width 21.2 cm;
minimum centre width 17.9 cm;
maximum lower width 26.1 cm
Inv. Cherubini 1988/73

This guitar, whose maker's name is not known, probably goes back to the very beginning of the 19th century, and it would seem that in 1807 it was personally played by the then queen, Maria Luisa of Bourbon-Parma.
Despite some considerable transformations, including the probable substitution of the neck, which might have also implicated the addition of the sixth string, this instrument keeps the typical appearance of early 19th-century guitars, with a narrow and shallow body.

Chitarra a pianoforte, 1793 circa

Dodds & Claus
(New York, fabbrica attiva
dal 1791 al 1793)

Legno di conifera e acero
Lunghezza totale cm 71,9
Misure della cassa:
lunghezza cm 39,6;
larghezza cm 30,2
Inv. Cherubini 1988/76

Questo strumento è un modello particolare di chitarra inglese, di cui conserva la cassa a goccia con tavola e fondo piatti e il particolare meccanismo di accordatura ideato dal londinese J. N. Preston negli anni Sessanta del XVIII secolo.
Rispondendo alla richiesta di uno strumento adatto alle ragazze di buona famiglia, che non implicasse particolare abilità esecutiva, Christian Claus brevettò nel 1783 a Londra un meccanismo a sei tasti che azionavano altrettanti martelletti per percuotere le corde, unendo in tal modo due vantaggi, quello di semplificare ulteriormente la tecnica esecutiva, e quello di salvaguardare la morbidezza dei polpastrelli delle fanciulle.
La diffusione di questo strumento fu tale da compromettere seriamente la produzione e il commercio di clavicembali, e si ridusse solo quando, in seguito alla diffusione di modelli economici, lo strumento si diffuse anche tra le donne di malaffare diventando, di conseguenza, disdicevole per le ragazze "rispettabili".

Piano-guitar, c. 1793

Dodds & Claus
(New York, workshop active
from 1791 to 1793)

Coniferous and maple wood
Total length 71.9 cm
Body measurements: length 39.6 cm;
width 30.2 cm
Inv. Cherubini 1988/76

This instrument is a particular model of English guitar, of which it preserves the drop case with flat belly and back and the particular tuning mechanism invented by the Londoner J. N. Preston in the 1760s.
Answering the request for an instrument suitable for girls of good families, which would not imply any particular playing skill, Christian Claus patented (in 1783 in London) a six-key mechanism which set six hammers in motion to strike the strings, thus uniting two advantages: that of further simplifying the playing technique, and that of safeguarding the softness of the girls' fingertips.
The diffusion of this instrument was such that it seriously threatened the production and sale of harpsichords, and it only decreased when, following the propagation of cheap models, the instrument also spread among prostitutes, thus becoming unseemly for "respectable" girls.

Alle pagine 108-109:
Imitatore di Baschenis,
Natura morta,
ultimo quarto XVII secolo,
particolare.Firenze, Galleria Palatina
(in deposito temporaneo presso
la Galleria dell'Accademia).

On the pages 108-109:
Imitatore di Baschenis,
Stille life,
last quarter of 17th century, detail.
Florence, Galleria Palatina
(on temporary loan to the
Galleria dell'Accademia).

Sala
Alessandro Kraus

Alessandro Kraus (1854-1931) fu il più importante collezionista di strumenti musicali della Firenze di fine Ottocento e arrivò a raccogliere oltre mille oggetti tra cui preziosi strumenti antichi italiani ed europei e centinaia di manufatti portati in Italia in seguito di viaggi dei primi esploratori italiani che, sostenuti dalla Società di Etnologia e Antropologia fondata da Paolo Mantegazza nel 1871, si spinsero in Siberia, in India e in Micronesia. La Collezione di Alessandro Kraus fu in larga parte dispersa nei primi anni del Novecento, ma un piccolo nucleo superstite costituito per la maggior parte da strumenti extraeuropei fu donato a questo museo dalla nipote, la baronessa Mirella Gatti-Kraus, nel 1996 ed è attualmente custodito in questa sala dove è accessibile per motivi di studio e di ricerca.

The Alessandro Kraus
Room

Alessandro Kraus (1854-1931) was Florence's most important collector of musical instruments in the late 19th century. His collection numbered over a thousand pieces, including precious Italian and European antique instruments and hundreds of objects brought to Italy by the first Italian explorers who, backed by the Society of Ethnology and Anthropology founded by Paolo Mantegazza in 1871, voyaged as far as Siberia, India and Micronesia.
Most of Alessandro Kraus's Collection was dispersed in the early years of the 20th century, but a small group of surviving pieces, consisting mainly of non-European instruments, was donated to this museum by his granddaughter, Baroness Mirella Gatti-Kraus, in 1996 and is now kept in this room, where it is accessible for study and research.

Alessandro Kraus, in una foto
dei primi anni del Novecento.

Alessandro Kraus, in a photograph
from the early years of the 20th century.

Tamburo

Africa, fine XIX secolo
Diametro della pelle
cm 26 x 29;
altezza cm 25
Inv. Eredità Gatti-Kraus 17

Drum

Africa, late 19th century
Diameter of skin
26 x 29 cm;
height 25 cm
Inv. Gatti-Kraus Legacy 17

Rebab

Turchia, fine XIX secolo
Lunghezza cm 50; larghezza
minima superiore cm 4;
larghezza massima
inferiore cm 12,5
Inv. Eredità Gatti-Kraus 21

Rebab

Turkey, late 19th century
Length 50 cm; minimum width
at top 4 cm;
maximum width
at bottom 12.5 cm;
Inv. Gatti-Kraus Legacy 21

Schoschi buoie

Giappone, fine XIX secolo
Lunghezza cm 7;
diametro mm 15
Inv. Eredità Gatti-Kraus 27

Schoschi buoie

Japan, late 19th century
Length 7 cm;
diameter 15 mm;
Inv. Gatti-Kraus Legacy 27

Ti-tzu

Giappone, fine XIX secolo
Lunghezza cm 65,2; diametro esterno
al foro d'insufflazione mm 21,2;
diametro interno al foro
d'insufflazione mm 15,8;
diametro interno all'uscita mm 13
Inv. Cherubini 1988/214

Ti-tzu

Japan, late 19th century
Length 65.2 cm; outside diameter
at blowing hole 21.2 mm;
inside diameter at blowing
hole 15.8 mm;
inside diameter at outlet 13 mm
Inv. Cherubini 1988/214

Shō

Giappone, fine XIX secolo
Altezza totale cm 42;
diametro del serbatoio dell'aria mm 69;
lunghezza delle canne sonore cm 15-38
Inv. Cherubini 1988/98

Shō

Japan, late 19th century
Total height 42 cm;
diameter of air reservoir 69 mm;
length of pipes 15-38 cm
Inv. Cherubini 1988/98

Tromba di conchiglia *"rappakai"*

Giappone, fine XIX secolo
Lunghezza cm 30; larghezza cm 17;
diametro interno all'entrata mm 13
Inv. Cherubini 1988/172

"Rappakai" shell trumpet

Japan, late 19th century
Length 30 cm; width 17 cm;
inside diameter at inlet 13 mm
Inv. Cherubini 1988/172

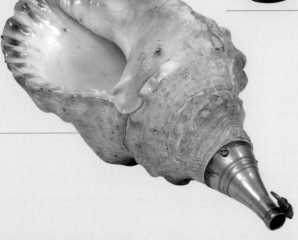

Ad esso si sono aggiunti nel 2007 oltre quattrocento volumi sulla storia e sulla tecnologia degli strumenti musicali, anch'essi in gran parte raccolti da Alessandro Kraus, che hanno costituito il nucleo originario della biblioteca che gli è intitolata (aperta a studenti e studiosi su appuntamento). Tra essi si trovano alcuni volumi di notevole pregio e interesse per gli studi di organologia (la disciplina che studia, appunto, la storia, la costruzione e la classificazione degli strumenti musicali), tra cui una rilevante collezione di cataloghi di musei e mostre e una collezione di trattati antichi. Poiché lo studio degli strumenti musicali si stava affermando come disciplina di studio proprio negli anni di attività di Kraus, molti volumi riportano le dediche e le firme autografe degli autori.

La seconda edizione
di *La Musique au Japon*,
pubblicata nel 1879,
con le fotografie degli strumenti
giapponesi della Collezione Kraus.

The second edition
of *La Musique au Japon*,
published in 1879,
with photographs of the Japanese
instruments in the Kraus Collection.

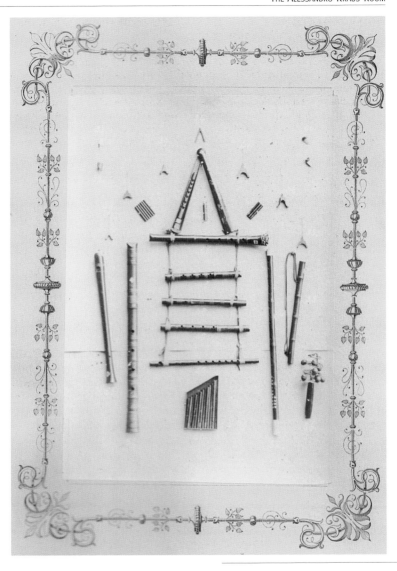

To it were added in 2007 over four hundred books on the history and the technology of musical instruments, many of them also collected by Alessandro Kraus, which constitute the original core of the library named after him (open to students and scholars upon appointment). Among these books are some of remarkable value and interest for the study of organology (the discipline dealing with the history, construction and classification of musical instruments), including an important collection of catalogues of museums and exhibitions and a collection of antique portraits. Since the study of musical instruments was emerging as a special field just during the years when Kraus was active, many of these volumes are dedicated and signed by their authors.

BIBLIOGRAFIA
BIBLIOGRAPHY

IL GRANPRINCIPE FERDINANDO DE' MEDICI E LE ARTI
GRAND PRINCE FERDINANDO DE' MEDICI AND ARTS

Mario Fabbri, *Alessandro Scarlatti e il Principe Ferdinando de' Medici,* Olschki, Firenze 1961.

Maria Letizia Strocchi, *Il gabinetto d'opere in piccolo del Gran Principe Ferdinando a Poggio a Caiano* in "Paragone", n. 311, gennaio 1976, pp. 115-130.

Marco Chiarini, *Anton Domenico Gabbiani e i Medici* in *Kunst des Barock in der Toskana. Studien zur Kunst unter der letzten Medici,* Bruckmann, Monaco 1976, pp. 333-343.

Maria Letizia Strocchi, *Pratolino alla fine del Seicento e Ferdinando di Cosimo III,* in "Paradigma", 1978, pp. 419-438.

Hill John Walter, *Antonio Veracini in context: new perspectives from documents, analysis and style* in "Early Music", vol. XVIII, n. 4, novembre 1990, pp. 545-562.

Baldassari Francesca, *Cristoforo Munari,* Federico Motta Editore, Milano 1998.

Cristoforo Munari. 1667-1720. Un maestro della natura morta, catalogo a cura di Francesca Baldassari e Daniele Benati, Federico Motta Editore, Milano 1999.

GLI STRUMENTI MUSICALI
THE MUSICAL INSTRUMENTS

Leto Bargagna, *Gli strumenti musicali raccolti nel Museo del R. Istituto L. Cherubini a Firenze,* Ceccherini, Firenze [1911].

Vinicio Gai, *Gli strumenti musicali della corte medicea e il Museo del Conservatorio "Luigi Cherubini" di Firenze,* Licosa, Firenze 1969.

Antichi strumenti dalla raccolta dei Medici e dei Lorena alla formazione del Museo del Conservatorio di Firenze, catalogo della mostra (Firenze, Palazzo Pitti - Palazzo Vecchio, 1980-1981), Giunti-Barbera, Firenze 1980.

Il museo degli strumenti musicali del Conservatorio "Luigi Cherubini", a cura di Mirella Branca, (Il Luogo del David, 2), Sillabe, Livorno 1999.

La musica alla corte dei Granduchi / Music at the Grand-ducal court, a cura di Gabriele Rossi Rognoni, guida alla mostra (Firenze, Galleria dell'Accademia, 28 maggio 2001 - 6 gennaio 2002), Giunti, Firenze 2001.

La Musica e i suoi strumenti. La Collezione Granducale del Conservatorio Cherubini, a cura di Franca Falletti, Renato Meucci e Gabriele Rossi Rognoni, Giunti, Firenze 2001.

Gabriele Rossi Rognoni, *Antonio Stradivari, violino 1716 Mediceo*, Cremonabooks, Cremona 2001.

Bartolomeo Cristofori: la spinetta ovale del 1690 / The 1690 oval spinet, a cura di Gabriele Rossi Rognoni, (Il Luogo del David. Restauri, 3), Sillabe, Livorno 2002.

Alessandro Kraus: musicologo e antropologo, a cura di Gabriele Rossi Rognoni, Giunti, Firenze 2004.

Meraviglie sonore: strumenti musicali del Barocco italiano / Marvels of Sound and Beauty: Italian Baroque musical instruments, a cura di Franca Falletti, Renato Meucci e Gabriele Rossi Rognoni, catalogo della mostra (Firenze, Galleria dell'Accademia, 12 giugno 2007 - 4 novembre 2007), Giunti, Firenze 2001.

Galleria dell'Accademia, Collezione del Conservatorio "Luigi Cherubini": Gli strumenti ad arco e gli archetti / Galleria dell'Accademia, The Conservatorio "Luigi Cherubini" collection: Bowed stringed instruments and bows, a cura di Gabriele Rossi Rognoni, Sillabe, Livorno 2009.

Alle pagine 118-119:
Marco Ricci, *Riunione musicale*, 1705-1707, particolare.
Firenze, Galleria dell'Accademia.

On the pages 118-119:
Marco Ricci, *Musical gathering*, 1705-1707, detail.
Florence, Galleria dell'Accademia.

Stampato presso Giunti Industrie Grafiche S.p.A. - Stabilimento di Prato